Renaud S. Lyautey, diplomate, est actuellement ambassadeur de France dans un pays du Moyen-Orient. Il signe avec *Les Saisons inversées* son premier roman.

Renaud S. Lyautey

LES SAISONS INVERSÉES

ROMAN

Éditions du Seuil

Ce livre est édité par Gwenaëlle Denoyers

TEXTE INTÉGRAL

Romain Gary, Europa, © éditions Gallimard, « Folio », 1999

ISBN 978-2-7578-7552-0
(ISBN 979-2-02-139363-7, 1re publication)

Ceci est un ouvrage de fiction. Tous les noms et personnages en sont soit inventés, soit, s'ils ont existé, utilisés fictivement. L'intrigue du roman est imaginaire, même si elle s'appuie sur des événements bien réels comme la révolution iranienne de 1979 ou l'invasion de l'Irak en 2003. Nulle des opinions exprimées par tel ou tel personnage ne saurait être attribuée à l'auteur ou à l'éditeur.

برای جوجو

Il se méfiait à cet égard de sa profession. Le métier de diplomate, par le privilège d'immunité qu'il confère, fait vivre en marge, sous une cloche de verre, et permet d'observer sans être touché. Le devoir d'analyser froidement pousse à voir les situations humaines sous un aspect théorique de « problème » et guère sous celui de la souffrance. La règle du jeu était la distanciation : le Quai d'Orsay était sans tendresse envers les ambassadeurs qui s'identifiaient par trop avec les heurs et malheurs du pays où ils étaient accrédités. Après tout, ils ne représentaient que la France… Danthès s'efforçait de ne pas succomber à cette déformation professionnelle et se refusait à contrôler ses élans généreux, comme un quelconque agent de la circulation chargé d'éviter les embouteillages dans la région du cœur. Il aimait croire. Il aimait les saltimbanques, les diseuses de bonne aventure, les magiciens de foire porteurs de philtres magiques et de pierres philosophales.

Romain GARY, *Europa*

La plupart des voyages dont on rêve n'ont jamais lieu. Ou alors on les accomplit intérieurement. L'avantage, quand on emprunte ces vols intérieurs, c'est qu'on a de la place pour les jambes.

Henning MANKELL,
Les Chaussures italiennes

Il nous est ordonné de pardonner à nos ennemis, mais il n'est écrit nulle part que nous devons pardonner à nos amis.

Cosimo DE' MEDICI

1

La bourrasque se leva au début de l'après-midi, à l'heure où les diplomates repus regagnent leurs bureaux d'un pas lent. Elle fut d'abord circonscrite à l'hôtel du ministre où l'on vit, à la mine importante et pincée des conseillers, à leur façon de chuchoter et de claquer les portes, qu'il se passait quelque chose de grave. Les huissiers en queue-de-pie trépignaient, les secrétaires baissaient la tête, les téléphones sonnaient tous en même temps. Puis le vent pivota pour s'engouffrer dans les couloirs interminables des directions centrales, où les chefs se claquemurèrent derrière leurs panneaux capitonnés. Des rédacteurs affolés rasaient les murs ou se tenaient par petits groupes dans les encoignures de portes. On en vit même se réfugier dans les toilettes au fond du bâtiment, ou fumer en grappes dans les cages d'escaliers. Il ne restait plus rien de la langueur des digestions méridiennes, de cette heure bénie où les directeurs, prétextant d'urgents coups de fil, interdisent qu'on les dérange pour s'assoupir dans le silence de leurs grands bureaux d'angle.

Puis la nouvelle tomba, d'abord sur l'intranet du ministère – *L'Administration est au regret d'annoncer le décès de M. Pierre Messand, directeur général des Affaires politiques et de sécurité, survenu le*

30 août 2003 –, ensuite sur le fil de l'AFP, sous un titre plus accrocheur – *Mort suspecte d'un haut diplomate français*.

Rien n'était dit, pour autant, des circonstances de ce drame, et il fallut encore deux bonnes heures, marquées d'une agitation folle, avant que l'on sût partout que Messand avait été assassiné. Alors tout le ministère se figea, comme enseveli sous une lave de silence et d'effroi. Le grand bâtiment retrouva dans l'instant sa vocation première, celle d'un tombeau servi par des prêtres mutiques, industrieux et bronzés. Chacun s'affaira à ce qu'il savait le mieux faire : la limitation des dégâts. Au bord du fleuve, les scribes polyglottes se turent.

*

Les premières répliques de ce séisme n'atteignirent René Turpin que le surlendemain, soit le mercredi 3 septembre 2003. Vers 9 heures, après avoir allumé son ordinateur et vérifié qu'aucun e-mail importun n'était en embuscade, il avait d'abord sacrifié à son rituel matinal : longer le couloir en tâchant d'être invisible, descendre au sous-sol par les escaliers en priant de ne croiser aucune connaissance, jeter une pièce dans le distributeur à café, attendre la mystérieuse préparation du breuvage en lâchant des regards absents sur la crasse des banquettes, s'emparer du gobelet fumant, remonter au rez-de-chaussée, sortir dans la cour des Archives, s'immobiliser sous la plaque des diplomates morts pour la France, et allumer sa première cigarette de la journée. Et, sentant ses poumons se diluer avec extase dans un nuage de tabac blond, il s'était dit une nouvelle fois qu'il n'était pas près d'arrêter de fumer.

Revenu à son poste de travail, il eut d'abord la mauvaise surprise d'y trouver un Post-it de la secrétaire du directeur. Celle-ci lui annonçait l'arrivée pour le jour même du nouvel agent avec lequel il devrait dorénavant partager son bureau. Le dénommé Jean-Baptiste Bruxel, frais émoulu du concours de secrétaire d'Orient, option arabe-hébreu, prendrait ses fonctions en début d'après-midi. Il serait chargé du dossier des relations entre la France et Israël. Turpin, qui venait tout juste de s'ébrouer après son premier café, sentit un abattement diffus l'envahir. Il n'avait encore jamais eu à partager son bureau depuis son retour à Paris deux ans plus tôt. Songeant aux longues rêveries que cette insolite solitude lui avait procurées, il s'efforça tristement de se figurer de quoi serait faite cette cohabitation forcée. Il lui faudrait supporter la présence d'un garçon de vingt ans son cadet, avec son cortège de coups de téléphone, d'éclats de rire et de conversations inopportunes. Rien de bien réjouissant. Il remâchait ces sombres pensées lorsque le téléphone sonna. C'était encore la secrétaire du directeur.

– Monsieur Turpin, bonjour. Vous avez trouvé mon petit message ?

– Oui Maryse, je viens de le lire.

– Bon… Je sais que vous n'êtes pas ravi, mais vous savez que nous n'avions pas le choix. Le bureau du rédacteur Israël est occupé par le nouveau chargé de mission pour le terrorisme. Il aurait dû repartir au bout de trois mois mais le directeur l'aime bien. Il a prolongé son contrat. Donc, c'est chez vous que ça tombe. Une équipe du Chiffre passera en fin de matinée pour installer un deuxième ordinateur ainsi qu'une autre ligne téléphonique. Vous êtes prévenu.

Turpin resta silencieux avant que la secrétaire ne reprenne, d'une voix stridente :

– Allons René… J'imagine la tête que vous faites. Mais dites-vous qu'il est peut-être très bien, ce jeune homme. Et puis vous pourrez peut-être le chaperonner, le former un peu. Ça fera gagner du temps à tout le monde.

Turpin, qui n'avait guère d'appétit pour ce genre d'activité, soupira avant d'acquiescer d'un grognement.

– Mais ce n'est pas pour cela que je vous appelais, René. Vous êtes convoqué chez le secrétaire général à 11 heures.

– Chez Mazières ? Moi ?

– Oui, vous. Sa secrétaire m'a appelée il y a cinq minutes. Elle m'a dit que c'était urgent.

– Ah bon ? Mais vous savez à quel sujet ?

– Non, elle n'en savait rien elle-même.

– 11 heures, René. D'accord ? N'oubliez pas.

Turpin aurait voulu en apprendre davantage, mais elle avait déjà raccroché. Il se demanda, avec une pointe d'anxiété, ce qui pouvait bien conduire le secrétaire général du Quai d'Orsay à convoquer dans son bureau un simple chargé de mission comme lui. Les dossiers dont il était responsable n'avaient qu'un vague intérêt pour un personnage aussi haut placé dans la hiérarchie du ministère.

Certes, ils se connaissaient. Mazières avait été son ambassadeur à Ankara à la fin des années 1980. Turpin, alors premier secrétaire, s'occupait de la politique intérieure turque. Il en gardait un souvenir mitigé, celui d'un homme très professionnel mais aussi bougon et parfois colérique. Malgré cela, ils s'étaient assez bien entendus. Mazières l'emmenait volontiers lors de ses déplacements officiels dans les provinces turques, et Turpin avait découvert grâce à lui des recoins de la côte égéenne qu'il n'aurait jamais connus sans cela.

L'ambassadeur semblait apprécier ses analyses et corrigeait peu sa correspondance. Mais Turpin conservait un souvenir déplaisant des interminables dîners auxquels Mazières le conviait d'autorité dans son effroyable résidence aux faux airs de palais nazi. Un frisson le parcourut aussi lorsqu'il se remémora les longs monologues que l'ambassadeur lui infligeait tard le soir dans son bureau, dissertant à n'en plus finir sur tel ou tel point obscur de la politique turque. Heureusement, cela n'avait duré que deux ans. Puis, à l'issue de son ambassade en Turquie, Mazières avait disparu dans les hautes sphères. Turpin l'avait aperçu de loin en loin lorsqu'il était devenu conseiller diplomatique du président. Il avait ensuite été nommé ambassadeur à Moscou, où il était resté cinq ans. Ils ne s'étaient jamais recroisés.

C'est en remâchant ces souvenirs que Turpin monta au troisième étage pour se présenter à l'huissier du secrétariat général. L'homme à la redingote couverte de pellicules abandonna de mauvaise grâce la lecture de son journal pour le faire asseoir dans l'antichambre et décrocher son téléphone. Turpin prit place sur un fauteuil en cuir blanc craquelé qui avait dû être acquis sous Pompidou, et se demanda qui avait bien pu décorer ce salon d'aquarelles aussi sinistres. Puis il fut introduit.

– Alors, René ! Approchez mon vieux. Ça fait longtemps, n'est-ce pas ?

Turpin eut d'abord du mal à distinguer, dans le contre-jour des hautes fenêtres donnant sur la Seine, la forme humaine qui lui faisait signe tout au fond de l'immense bureau. En le traversant, il enregistra rapidement les boiseries verdâtres qui lambrissaient les murs, les cartes anciennes, l'étrange lumière d'aquarium qui semblait nimber la pièce vénérable qu'avaient occupée, jadis, Berthelot puis Saint-John Perse. Il se pencha par-dessus la table pour serrer la main de Mazières, qui l'invita à prendre place face à lui.

De près, l'homme n'avait guère changé. À soixante-deux ans, Hugues Prateau de Mazières arborait toujours le visage un peu gris et chiffonné qu'on lui connaissait quinze ans plus tôt. C'est presque avec tendresse que son ancien collaborateur le vit triturer du pouce la chevalière qu'il portait à la main gauche, l'une de ses vieilles manies lorsqu'il était content de lui. Turpin s'était toujours prêté de bonne grâce à sa petite comédie de hobereau de campagne, même si d'autres dans l'ambassade soulignaient cruellement qu'en matière de noblesse, seul son sang anémié eût pu l'apparenter aux lignages les plus rances.

– Vous voulez un café ? s'enquit Mazières qui, sans attendre la réponse de Turpin, décrocha son téléphone pour passer commande à sa secrétaire. Que faites-vous à la direction d'Afrique du Nord et du Moyen-Orient ? Quels sont vos dossiers ?

La question accrut la perplexité de Turpin. Pourquoi était-il dans le bureau du secrétaire général si celui-ci n'avait pas la moindre idée de ses activités ?

– Je suis chargé de mission auprès du directeur, monsieur le secrétaire général. En charge des questions transversales.

Mazières prit un air soupçonneux en plissant les yeux :

– C'est quoi, ça, les questions transversales ?

– Les sujets qui sont communs aux trois sous-directions, vous savez, comme l'économie, la coopération universitaire, la recherche… Je m'occupe aussi des relations avec l'Organisation de la conférence islamique ainsi qu'avec la Ligue arabe.

– Hmm… grogna Mazières. Ça sent l'enfumage à plein nez votre affaire. Vous ne devez pas être débordé, dites donc.

– Chacun reçoit selon ses besoins et fournit selon ses moyens, monsieur le secrétaire général.

Mazières étouffa un rire rauque.

– Toujours un peu impertinent, je vois. Ce qui n'était pas pour me déplaire à Ankara, je peux vous l'avouer maintenant. Surtout lorsque vous exerciez votre insolence à l'endroit de mon adjoint. Comment s'appelait-il déjà ?

– Barbeau, monsieur. Philippe Barbeau.

Turpin vit passer dans les yeux ternes qui le fixaient le souvenir de cet être veule et apeuré, premier conseiller à Ankara, que Mazières avait amplement torturé deux années durant. S'ensuivit un violent triturage de la chevalière.

– Bon, Turpin, trêve de bavardage. Je vous ai fait venir parce que j'ai besoin de vous. C'est à propos de Messand.

Turpin sursauta. Quel lien pouvait-il y avoir entre lui et Messand ? Mazières laissa planer le suspense jusqu'à ce que sa secrétaire, entrée sans bruit, eût déposé devant les deux hommes une tasse de café. Il poursuivit :

– Vous savez que Messand a été assassiné. Égorgé, pour être précis. Chez lui, dans son salon. On ne sait pas encore si le meurtre a eu lieu vendredi ou samedi dernier. L'autopsie est en cours. C'est sa femme de ménage qui l'a trouvé lundi matin. Sa femme n'était pas là, elle est seulement rentrée de Grèce hier soir, en catastrophe. Personne n'a rien vu ni entendu.

– Mais, monsieur le secrétaire général, pourquoi me racontez-vous tout cela ? demanda Turpin, en proie à un malaise croissant.

– J'y viens. Chaque chose en son temps. Le plus étrange, dans cette affaire, c'est qu'il n'y a pas eu effraction. Aucun objet ne semble avoir disparu dans l'appartement, rien qui laisse pour l'instant penser à un cambriolage. Il se pourrait donc que Messand ait ouvert lui-même à son meurtrier. Ou à *ses* meurtriers. Peut-être les connaissait-il.

Mazières fit une pause. Dehors, une pluie tiède s'était mise à crépiter sur les vitres embuées, derrière lesquelles on ne distinguait plus le fleuve. Des craquements assourdis se faisaient entendre à l'étage au-dessus, et Turpin éprouva soudain la sensation d'être prisonnier d'un navire en plein orage tropical. Le secrétaire général reprit, la mine sombre :

– Je ne vais pas m'étendre sur la perte que constitue pour la maison, et pour la République, la disparition d'un homme comme Messand. Vous le comprenez aussi bien que moi. Messand avait la trempe des grands diplomates. Il parlait des langues rares. Il avait fait face à des situations très difficiles, au Chili au moment du coup d'État contre Allende, en Iran lors de la révolution, en Palestine avec la première intifada. Il avait un réseau de contacts monumental. Il était fin, précis, habile. Pas plus tard que jeudi dernier, il a prononcé devant la conférence annuelle des Ambassadeurs un discours brillant et audacieux qui a impressionné jusqu'au ministre. Bref, c'est une immense perte. Pour moi aussi, qui le connaissais depuis 1973, c'est-à-dire depuis trente ans. C'était du reste l'un de mes deux adjoints, puisqu'il avait le titre de secrétaire général adjoint.

Il faut qu'ils soient morts, se dit Turpin, pour que Mazières finisse par faire l'éloge de ses collaborateurs. Mais son interlocuteur poursuivait déjà :

– Bon, inutile de vous dire que l'affaire est prise très au sérieux en haut lieu. On n'égorge pas comme ça le directeur politique du Quai d'Orsay. Ça fait désordre, voyez-vous ? La dernière fois qu'un diplomate français a été assassiné, c'était il y a plus de vingt ans, en pleine guerre du Liban ! L'Élysée redoute un meurtre à connotation politique internationale. Du coup, l'enquête a été confiée hier à la DST. C'est vous dire.

– La DST ? Mais pourquoi…

– Oui, la DST. Vous n'êtes pas sans savoir que la DST, contrairement à la plupart des autres services occidentaux de contre-espionnage, dispose d'un pouvoir de police judiciaire. C'est une spécificité française. C'est donc la DST qui va enquêter. Et c'est là que vous intervenez.

Mazières ménageait ses effets. Mais cette fois-ci, Turpin le laissa continuer sans l'interrompre.

– Il me faut quelqu'un de la maison pour assister les enquêteurs. Quelqu'un de l'intérieur. Je ne peux pas laisser la DST investir le ministère, fouiller partout et terroriser les agents à sa guise. Je tiens à ce qu'un diplomate assure la liaison. Ces gens-là ignorent tout des traditions de cette maison. Quelqu'un doit leur expliquer comment cela fonctionne, les guider. Et puis certains de nos collègues se sentiront plus en confiance s'ils doivent parler à l'un des leurs.

– Attendez un peu, se récria Turpin. Vous parlez d'interrogatoires ? Que je conduirais pour le compte de la DST ?

– Ne vous emballez pas. Il ne s'agit pas d'interroger les gens. Mais il faudra tout de même conduire, dans la discrétion, des entretiens pour essayer de reconstruire le parcours de Messand, dresser son profil psychologique, retracer les étapes de sa carrière, révéler ses failles, ses faiblesses, et comprendre qui pouvait lui en vouloir au point de l'assassiner. La DST va s'appuyer sur vous pour cette partie-là du travail d'enquête. Parce que vous saurez où chercher, vous saurez poser les bonnes questions, ou au moins transcrire dans un langage intelligible celles que se pose la DST. Vous conduirez certains de ces entretiens tout seul, d'autres en tandem avec un enquêteur. La DST est d'accord, ça ne lui pose pas de problème, au contraire. En quelque sorte, vous agirez dans l'enquête en tant qu'informateur. C'est, m'a-t-on dit, recevable sur le plan juridique.

Turpin avait cent questions qui lui traversaient la tête à cette minute précise. Il en posa une :

– Mais comment vais-je concilier ce travail avec mes dossiers ? Comment aurai-je le temps ?

– J'ai d'ores et déjà appelé votre patron. Badalan n'était pas ravi mais il m'a donné son accord. Vous consacrerez vos matinées à vos salades transversales et le reste de vos journées à l'enquête. Je vais aussi prévenir tous les directeurs et chefs de service de la mission que je vous confie, afin que chacun vous prête assistance.

– Mais pourquoi moi, monsieur le secrétaire général ?

Mazières prit un air enjôleur qui ne lui allait pas du tout.

– Parce qu'il me faut quelqu'un de confiance, un agent que je connaisse bien. Vous avez travaillé sous mon autorité en Turquie. Vous êtes un agent fiable et sérieux. Et puis je ne pense pas me tromper en affirmant que vous ne connaissiez pas Messand, ni de près ni de loin. Et c'est cela qu'il nous faut : un agent qui ne soit affligé d'aucun biais vis-à-vis de la personnalité de Messand. La DST a beaucoup insisté sur ce point.

– Effectivement, nos chemins ne se sont jamais croisés… Avec qui dois-je prendre contact à la DST ?

– L'enquêteur qui sera votre point de contact se nomme Bertrand Alvarez. Un gars très bien, à ce qu'ils m'ont dit. Il attend votre coup de téléphone. Appelez-le aujourd'hui. Ma secrétaire va vous donner son numéro.

Turpin demeura silencieux un moment. Il n'était pas certain de ce qu'il ressentait à cet instant précis. De l'abattement face à cette nouvelle charge de travail ? Une certaine excitation à l'idée de se livrer à une activité étrange et imprévue ? Une pointe d'orgueil pour avoir été désigné parmi tant d'autres ? Il se souviendrait en tout cas, beaucoup plus tard et à son grand étonnement, de n'avoir pas songé une seconde à décliner l'injonction du secrétaire général. À croire que Mazières exerçait encore sur lui un pouvoir direct et sans appel.

– Une dernière chose, Turpin. Vous allez me tenir régulièrement au courant du développement de l'enquête. Je sais que ce n'est pas très légal, mais j'estime être en droit de savoir ce qui se passe dans mon ministère. Et puis vous ne me direz que ce que vous aurez appris dans le cadre de vos entretiens. Vous passerez me voir chaque lundi à midi. Ma secrétaire a déjà bloqué ce créneau dans mon agenda. Allez, bon vent. Et n'oubliez pas d'appeler Alvarez aujourd'hui.

*

Après avoir récupéré le numéro de l'enquêteur au secrétariat de Mazières, Turpin fit un détour par la cour des Archives où il fuma trois cigarettes à la chaîne avant de regagner son bureau. Il s'agaça d'y trouver deux techniciens du Chiffre à quatre pattes sur la moquette en train d'effectuer des branchements, et se souvint de l'arrivée imminente du jeune Bruxel. Décidément, c'était une journée pleine d'imprévu.

Avant de composer le numéro d'Alvarez, Turpin attrapa sur une étagère son dernier exemplaire à jour de l'annuaire diplomatique et consulta la notice de feu le directeur politique. Elle disait ceci :

> MESSAND (*Pierre*, Hervé, Gustave), né le 17 juin 1943 ; ancien élève de l'École normale supérieure ; agrégation de lettres classiques ; ancien élève de l'École nationale d'administration, promotion « Thomas More », 1971.
>
> Ministre plénipotentiaire de 2e classe.
>
> À l'École normale supérieure, 1963-1968 ; à l'École nationale d'administration, 1969-1971 ; nommé et titularisé secrétaire des Affaires étrangères, 1er juin 1971 ; premier secrétaire à Santiago du Chili, 1971-1974 ; chevalier de l'ordre national du Mérite, 8 mai 1974 ; à l'Administration centrale (Amérique), 1974-1977 ; deuxième conseiller à Téhéran, 1977-1980 ; conseiller culturel à Brasília, 1980-1984 ; directeur adjoint du Centre d'analyse et de prévision, 1984-1988 ; directeur adjoint du cabinet du ministre, 1988-1991 ; consul général à Jérusalem, 1991-1995 ; officier de l'ordre national du Mérite, 15 mai 1993 ; ambassadeur extraordinaire et plénipotentiaire à Téhéran, 1995-2000 ; secrétaire général adjoint, directeur général des Affaires politiques et de sécurité, septembre 2000.

Turpin demeura songeur durant cinq bonnes minutes. Une belle carrière, assurément. Mais par où commencer ? Découpé ainsi en tranches, le parcours de Messand ne révélait pas grand-chose. Sinon qu'il avait toujours servi dans des ambassades bilatérales ; que ses séjours d'outre-mer avaient oscillé entre deux régions bien précises, l'Amérique du Sud et le Moyen-Orient, la seconde étant perçue comme plus porteuse que la première ; qu'il avait été nommé chef de poste à quarante-huit ans, un âge plus qu'honorable ; qu'il avait compté parmi les membres d'un cabinet socialiste, aussitôt après la réélection de François Mitterrand. Mais encore ?

Turpin revint en arrière : quelque chose clochait. Pourquoi Messand, en bon énarque qu'il était, n'avait-il servi dans aucun des *grands postes* – Londres, Bonn, Moscou, Washington ? Pourquoi donnait-il le sentiment d'avoir soigneusement évité toutes les prestigieuses missions auprès d'organisations multilatérales – New York, Genève, Bruxelles ? Sa carrière avait un peu, à vrai dire, le parfum exotique d'un agent d'Orient. Ou les couleurs bigarrées d'une trajectoire tiers-mondiste.

Il fut tiré de sa réflexion par le départ des techniciens, lesquels promirent de revenir dans l'après-midi pour compléter l'installation. Turpin contempla d'un œil méfiant l'écran d'ordinateur tout neuf qui trônait désormais en face du sien. Puis il se décida à appeler Bertrand Alvarez, qui lui fit bonne impression au téléphone et l'invita pour 13 heures à déjeuner dans une brasserie du 15e arrondissement, proche du siège de la DST. Turpin ne s'étonna pas du lieu choisi pour ce premier rendez-vous : il était rare que les agents des services de renseignement reçoivent dans leurs bureaux.

Avant de quitter le ministère, il décida d'assister au point de presse de midi, curieux qu'il était d'écouter en quels termes le porte-parole évoquerait devant les journalistes l'affaire Messand. Il en fut pour ses frais : en bon professionnel, Robert Bismuth renvoya la presse dans ses buts. Les journalistes n'insistèrent pas, sauf une correspondante du *Haaretz* qui crut bon d'insinuer que Messand s'était sans doute fait des ennemis lors de son séjour à Jérusalem. Bismuth ne releva pas. Avec son fort accent du Constantinois, il invoqua le secret de l'enquête et se contenta de mentionner le rôle d'investigation de la DST. La loi du silence demeurait donc en vigueur. Le Quai d'Orsay continuait de faire bloc.

*

L'inspecteur Bertrand Alvarez confirma d'emblée l'impression plaisante qu'il avait produite au téléphone. De petite taille mais bien bâti, les yeux bleus pétillants, l'enquêteur dégageait un air de franchise et d'efficacité qui plut immédiatement à Turpin. Il lui présenta son parcours sans détour : recruté à vingt-cinq ans par la sous-direction de la Recherche des Renseignements généraux, il s'était spécialisé très tôt dans la surveillance des groupes à risque, en particulier dans la mouvance nationaliste basque. Puis, à la suite des attentats de 1995, on l'avait versé dans la division Moyen-Orient de la DST pour traiter directement des affaires de terrorisme. Turpin lui révéla à son tour les principales étapes de sa carrière, lesquelles semblèrent impressionner Alvarez, peu familier de la vie diplomatique. Les deux hommes se découvrirent rapidement des points communs : ils avaient tous deux la quarantaine bien sonnée et un divorce derrière eux. Le courant passait. Ils commandèrent une bouteille de saumur avec leurs plats. Sans évoquer encore les modalités de leur collaboration, Alvarez demanda d'abord à Turpin de lui décrire avec précision les dernières fonctions de Pierre Messand.

– D'un point de vue hiérarchique, commença Turpin, le directeur des affaires politiques est le troisième personnage du ministère, après le directeur de cabinet du ministre et le secrétaire général. Mais il incarne aussi, à maints égards, le « cœur du réacteur », le point névralgique de la maison.

– Comment cela ?

– Eh bien… Les affaires politiques, c'est un peu le cœur de métier du Quai d'Orsay. Toutes les autres directions viennent en appui, en quelque sorte. Déjà, vers la fin du XIXe siècle, le troisième étage était l'étage noble du ministère, celui où les choses importantes se décidaient. En 1907 Philippe Berthelot a conçu une importante réforme aboutissant à renforcer le rôle du directeur politique. L'idée était d'assurer une cohérence à l'action diplomatique de la France en fusionnant sous sa tutelle les questions politiques et commerciales. Les choses ont bien sûr évolué depuis, mais cette idée d'unité de doctrine de la politique étrangère est toujours présente. Le directeur général des Affaires politiques chapeaute en titre trois directions : Nations unies, affaires stratégiques, et coopération militaire. Mais il coordonne aussi l'activité des directions géographiques, qui sont au nombre de cinq. C'est un pouvoir considérable au sein du ministère.

– Donnez-moi quelques exemples, vous voulez bien ?

– Messand était notamment compétent pour les questions de maintien de la paix, ou de désarmement. Il pouvait être amené à veiller à l'élaboration d'une position française au Conseil de sécurité de l'ONU, ou à coordonner la préparation d'un sommet de l'OTAN. Mais il pouvait aussi choisir de s'impliquer plus spécifiquement dans un dossier comme le processus de paix au Proche-Orient, d'autant plus qu'il avait servi comme consul général à Jérusalem. Sa gamme d'intervention était vaste.

– La lutte contre le terrorisme, c'était sous sa tutelle ?

– Oui, absolument, au titre de sa compétence générale en matière de sécurité.

Alvarez demeura songeur en digérant ces informations, le regard dirigé vers le boulevard de Grenelle où les voitures soulevaient des gerbes d'eau. Puis il inspira profondément et se tourna vers Turpin :

– Bon, je ne vous cache pas que la DST aborde cette enquête avec une grande inquiétude. D'abord parce qu'à ce jour, nous n'avons aucune piste et ne savons absolument pas où chercher. Ensuite, parce que nous pensons a priori que le meurtre de Messand peut avoir un lien avec l'un de ses postes antérieurs ; à cet égard, Jérusalem et Téhéran nous intéressent à l'évidence au premier chef, mais il va falloir fouiller dans son passé, ce qui ne sera pas aisé. Enfin, parce que le ministère des Affaires étrangères fait figure pour nous de *terra incognita*. C'est pourquoi votre collaboration nous importe au plus haut point.

– Qu'ont révélé les premières constatations ?

– Le rapport préliminaire d'autopsie nous indique que Messand a été tué vendredi 29 août dans la soirée, vraisemblablement entre 22 heures et minuit. Aucune effraction n'a été constatée. D'après les légistes, il a d'abord été étranglé. On a constaté un écrasement très prononcé de son larynx. Puis il a été égorgé et frappé au torse de plusieurs coups de couteau. On n'a pas retrouvé l'arme du crime.

Turpin réprima une envie de vomir et détourna les yeux de son assiette de charcuterie.

– Le relevé des empreintes est en cours, enchaîna Alvarez. Mais cela va prendre du temps, car il faut d'abord identifier puis écarter les empreintes de tous les familiers de l'appartement.

– Sait-on qui avait les clés ?

– À ce jour, d'après Mme Messand, nous savons qu'il y avait en tout six jeux de clés : un pour lui, un pour elle, un pour chacun des deux enfants, un pour la bonne philippine qui a découvert le corps lundi matin, ainsi qu'un jeu de secours dans la loge du concierge. Nous avons vérifié, y compris auprès des deux enfants qui vivent à l'étranger : aucun jeu de clés n'a disparu. Et tout ce petit monde dispose d'un solide alibi. Mme Messand était en Grèce et n'est rentrée qu'hier. La femme de ménage assistait à un mariage dans le 13e arrondissement vendredi soir. Quant au concierge, il n'est rentré de ses vacances annuelles au Portugal que dimanche soir.

– Que faisait en Grèce Mme Messand ?

– Ils ont une maison de vacances là-bas, sur l'île de Paros, depuis une quinzaine d'années. Messand s'y trouvait lui aussi début août, à ce qu'on sait. Mais il a regagné Paris le 15 août. C'est, d'ailleurs, un point sur lequel je vais vous demander de m'aider : nous avons un trou dans son emploi du temps. Il avait dit à sa femme qu'il lui fallait rentrer à Paris pour préparer la conférence annuelle des Ambassadeurs, laquelle a commencé le 27 août. Mais, en réalité, il semble qu'il n'ait pas mis les pieds au ministère du 16 au 25 août inclus. Personne ne paraît savoir où il était durant ces dix jours. On a regardé dans son passeport, il n'y a rien. Mais il est probable qu'il en ait eu plusieurs, on est en train de vérifier. C'est, semble-t-il, courant dans votre ministère.

– Je vous le confirme. C'est notamment nécessaire si vous avez à vous rendre successivement en Israël et dans certains pays arabes.

– Bien. À ce jour, rien non plus du côté de la police des frontières. Nous supposons donc qu'il est resté en

France durant cette période, ou en tout cas dans la zone Schengen, mais c'est vaste. Tentez de vérifier de votre côté, en discutant avec les membres de son équipe, si quelqu'un sait quelque chose à propos de cette absence.

– Très bien, je ferai de mon mieux. Vous êtes donc d'accord pour que je m'entretienne seul avec les collègues du ministère ?

– À ce stade, oui. Nous n'en sommes qu'au débroussaillage, si j'ose dire. Il nous faut d'abord identifier, dans son parcours, des zones d'ombre, mais aussi des épisodes significatifs, des crises, des conflits de personnes, des périodes où il a été soumis à une tension particulière. Pour l'instant, nous en sommes réduits à cela, car nous naviguons dans le brouillard. Nous privilégions bien sûr les pistes d'ordre politique, eu égard aux fonctions qui étaient les siennes. Mais on ne peut non plus exclure totalement un conflit de personnes, un différend interne, ou tout bêtement une affaire de mœurs. Il va falloir ratisser large.

– Par où commencer ?

– Je vous suggère dans l'immédiat de vous rapprocher des gens qui ont servi à ses côtés ou sous son autorité, et qui se trouvent à Paris en ce moment. Inutile à ce stade de déranger des agents qui sont dispersés à l'étranger. Pensez-vous pouvoir établir une liste ?

– Oui, j'imagine que la direction des Ressources humaines sera capable de me fournir une telle liste, concernant au moins les agents de catégorie A qui ont travaillé avec lui en poste ou à Paris.

– C'est parfait. Essayons demain de rencontrer ensemble Mme Messand. Vous saviez qu'elle était d'origine iranienne ?

– Non, je l'ignorais. J'imagine qu'il l'avait connue lors de son premier séjour à Téhéran.

– En effet, c'est probable. Je pense que ce sera possible demain dans l'après-midi, au domicile des Messand, quand les techniciens auront terminé leur travail dans l'appartement.

– Qui se trouve où ?

– Tout près d'ici, dans le 15e arrondissement. Avenue Émile-Zola.

*

Turpin n'était pas préparé pour la surprise qui l'attendait lorsqu'il regagna son bureau. La tête basse et l'esprit soucieux, il ne vit pas d'emblée la grande silhouette accoudée à la fenêtre. C'est Jean-Baptiste Bruxel qui le tira de ses pensées en prenant l'initiative de se présenter. Turpin contempla le garçon souriant qui se dandinait gauchement devant lui. Grand, blond, athlétique, il avait l'air à l'étroit dans son costume pied-de-poule. Ce doit être la première fois qu'il en porte un, se dit Turpin en se demandant où le jury du concours d'Orient avait bien pu aller pêcher cet énergumène tout droit sorti d'Eton, option rugby et aviron. Il ne se trompait guère, car il s'avéra que le jeune Bruxel était diplômé de l'École d'études orientales de l'Université de Londres. Il y avait appris l'arabe classique, dont il maîtrisait aussi la version dialectale du Levant. Il possédait en outre de solides rudiments d'hébreu, acquis selon lui au gré de séjours estivaux dans un kibboutz de Samarie.

Turpin s'efforça, aussi aimablement qu'il le put, de mettre à l'aise son nouveau collègue. Il lui fit faire le tour des bureaux, lui révéla les différents codes d'accès et veilla à ce que le Chiffre lui crée un compte de messagerie. Dès son installation dans l'antre déjà occupé par Turpin, le jeune homme fit preuve d'un enthousiasme presque touchant pour cette cohabitation de circonstance. Seule la vétusté manifeste du matériel informatique sembla l'incommoder.

– Le ministère est équipé d'Office 11, j'imagine ? murmura-t-il avec un regard plein d'espoir.

Turpin, qui dictait encore notes et télégrammes à une secrétaire, prit un air perplexe et soupçonneux.

– Équipé de quoi ?

– Office 11. Vous n'en avez pas entendu parler ? C'est la dernière version du logiciel de traitement de texte de Microsoft. Ça vient de sortir. Ne me dites pas que le Quai d'Orsay n'est pas à jour dans ce domaine !

Turpin resta coi, contemplant l'athlète avec commisération. C'était donc cela qu'on recrutait aujourd'hui. Des jeunes gens qui n'avaient lu ni Paul Morand ni Lucien Bodard mais qui, bravaches, vous faisaient la leçon en se figurant qu'écrire une belle page supposait la maîtrise d'un logiciel dernier cri. Il va rapidement déchanter, ricana intérieurement Turpin en songeant que la direction n'était équipée que d'un seul appareil relié à Internet, auquel lui-même n'avait encore jamais osé se frotter.

– Mon pauvre enfant, se borna-t-il à grommeler, vous allez vite découvrir qu'en matière de technologie, c'est l'âge de pierre ici. Et considérez-moi d'emblée comme un primate. C'est compris ?

Nullement assombrie par cet échange, l'exaltation du jeune homme faillit provoquer un drame quand, dans un élan d'humour et d'aimable camaraderie, il se déclara heureux de partager avec son coéquipier l'enviable condition de *roommate*. Ceci produisit un effet désastreux sur Turpin qui se vit soudain projeté dans le désordre d'un dortoir d'étudiants, croyant presque en respirer l'odeur de linge moite propre aux promiscuités juvéniles. Bruxel comprit à sa tête qu'il lui faudrait modérer ses élans. Turpin, pour sa part, se demanda si leur cohabitation prendrait par la suite un tour plus conforme à ses propres vues, celui d'un compagnonnage où les rôles du maître et de l'élève seraient clairement établis.

2

En sirotant chez lui son premier café le lendemain matin, Turpin s'interrogea pensivement sur les changements que sa participation à l'enquête risquait d'apporter à sa vie quotidienne. Non qu'il en fût inquiet : la routine à laquelle il s'était plié depuis son retour à Paris, deux ans plus tôt, l'accablait chaque jour davantage. Et puis tout était gris : le ciel, les trottoirs, les wagons du métro, les complets portés par ses collègues. Même son âme était devenue grise. La collaboration avec Alvarez serait donc bienvenue, elle pimenterait sa vie de fonctionnaire asservi. Mais il lui faudrait s'organiser et, surtout, faire admettre à ses collègues qu'une partie de ses activités ne relèverait désormais que de lui. Dans une direction surnommée « la rue arabe », où les portes restaient ouvertes et où l'on se criait informations et ragots d'une pièce à l'autre comme dans un souk de Syrie, ça n'irait pas de soi. Et puis c'était tout de même la poisse d'avoir à partager son bureau au moment précis où Mazières lui confiait une mission confidentielle sortant de l'ordinaire.

Mazières, justement. Pourquoi l'avait-il désigné, lui, pour enquêter sur la mort de Messand ? Depuis la veille, Turpin retournait en vain cette question dans sa tête. Même s'ils avaient fait assez bon ménage à Ankara,

Turpin n'avait jamais senti que Mazières le tenait en haute estime. Sa carrière à l'étranger n'avait, du reste, rien connu de brillant : une succession de responsabilités moyennes dans des postes moyens. Une carrière médiocre. Un parcours sans queue ni tête. Quant à la condition de n'avoir jamais croisé Messand, Turpin était sûr qu'une foule d'agents la remplissait.

Il contempla le fond de sa tasse sans y trouver de réponse. Quand repartirai-je à l'étranger ? se demanda-t-il avec désespoir comme il le faisait chaque matin depuis deux ans. Quand laisserai-je derrière moi toute cette glu, ces longs couloirs où l'on chuchote, où l'on conspire ? Le retour à Paris, exigé par l'Administration à intervalles réguliers, réveillait en lui un souvenir singulier de l'enfance, cette sensation légèrement décalée, cotonneuse, teintée à la fois d'embarras et de privilège, qu'on éprouve immanquablement en retournant à l'école après une maladie.

À travers la fenêtre donnant sur la rue d'Alésia, son regard s'abîma dans un ciel d'ardoise. La vie en poste, c'était tout de même autre chose. Même si certaines destinations avaient été plus heureuses que d'autres. Il avait ainsi nourri une vraie passion pour Cuba, se plaisant à tremper dans la tiédeur délétère d'une révolution qui n'en finissait pas de finir, rongée par le sexe et l'appât du dollar. Il n'avait en revanche guère aimé Malte, sa dérive morose de barge caillouteuse, sa langue hybride qu'il appelait le maltèque. S'il s'était plu en Turquie, c'était surtout pour les traces du monde grec qu'il lui arrivait d'y découvrir, un peu comme l'enfant qui a longtemps pinaillé pour terminer son assiette et finit par y trouver, sous une couche d'aliments douteux, quelque chose de mangeable. De la Suède – son premier poste – il n'avait gardé que l'usage de se déchausser à l'entrée des maisons. L'Administration l'avait finalement repêché au Laos, tout confit d'aigreur équatoriale et perclus de mauvaises fièvres. Quoi qu'il en ait pensé, il était temps qu'il rentre.

En enfilant son pardessus, il se fit l'obligation mentale de rendre visite à sa mère avant la fin de la semaine. Après quoi il sortit et s'engouffra dans le métro. C'était la cohue sur la ligne 13. Il s'agaça d'un resquilleur qui, sans le consulter, se colla subrepticement à lui pour franchir le tourniquet d'accès. Puis il réfléchit et se dit que lorsqu'un de ces voyageurs sans ticket l'abordait poliment pour lui en demander la permission, il s'inquiétait de devenir complice et s'agaçait tout autant. Peut-être était-ce lui, le problème.

C'est d'humeur maussade qu'il pénétra dans son bureau vers 9 heures. Contrairement à ce qu'il avait espéré, le jeune Bruxel était déjà là, explorant avec une joie d'enfant son clavier téléphonique. Turpin s'esquiva aussitôt pour sacrifier à son rituel tabagique.

Lorsqu'il remonta au deuxième étage, il s'était un peu calmé. Il consacra l'essentiel de la matinée à relire et corriger les trente-sept pages d'un accord de coopération culturelle avec le Yémen qui devait être signé à Sanaa deux semaines plus tard. Puis, vers midi, il appela la direction des Ressources humaines pour solliciter un listing des agents ayant servi avec Messand et se trouvant présentement à Paris.

– Les agents de toutes catégories, monsieur Turpin ? lui demanda une secrétaire au bout du fil. Ça fait beaucoup de monde. Ça risque de prendre du temps.

– Limitons-nous aux agents de catégorie A pour l'instant, répondit-il.

On lui promit que le document lui serait envoyé par voie électronique en début d'après-midi. Il s'apprêtait à partir déjeuner lorsque Alvarez l'appela : ils avaient rendez-vous chez Mme Messand à 15 heures.

*

Comment une telle accumulation d'objets hétéroclites peut-elle produire une si parfaite harmonie ? se demandait Turpin en contemplant le grand salon où ils avaient pris place. Son regard embrassa les masques dogons accrochés entre deux fenêtres, les tapis persans se chevauchant sur le parquet sans ordre apparent, les calligraphies arabes, les coffres syriens, les tentures andines, les innombrables livres rangés dans la bibliothèque sur le mur du fond, les peintures abstraites… Il était pourtant familier des intérieurs de diplomates, de ces collections de souvenirs amassés de poste en poste, de ces mélanges de styles et d'époques. Mais on courait toujours le risque, à vouloir imiter Pierre Loti, de transformer son salon en bordel algérois. Or rien n'était vulgaire dans l'intérieur des Messand. Tout semblait à sa place. Tout semblait le fruit d'un mystérieux ordonnancement qui donnait à la pièce un air d'intimité raffinée, de volupté sans fard. Un lieu propice à la lecture, se dit Turpin en convoquant dans sa mémoire cinématographique des images de salons anglais au temps d'Oscar Wilde.

Farvardine Messand se tenait recroquevillée dans un coin du long sofa beige. Elle restait silencieuse et paraissait fixer ses deux interlocuteurs avec un mélange de terreur et de défi dans le regard. Malgré ses yeux rougis son visage était beau. Un visage à la Modigliani, long et racé, songea Turpin qui se demanda ce qu'on pouvait bien dire à une femme dont le mari avait été égorgé quelques jours plus tôt en ce même lieu. Une fois le café servi par la domestique philippine qui semblait tout aussi terrifiée, Bertrand Alvarez fit les présentations d'usage et balbutia quelques mots de condoléances.

– Madame Messand, enchaîna-t-il dans un raclement de gorge, je dois vous informer que le travail des légistes est terminé. Le permis d'inhumer vient d'être délivré…

– Très bien, l'interrompit-elle. Je viens de faire savoir au Quai d'Orsay que je ne veux pas d'hommage officiel. Pierre n'aurait pas aimé ça. Il sera enterré dans la plus stricte intimité à Aix-en-Provence, dans le caveau familial, auprès de ses parents.

Elle parlait vite, comme si elle avait craint de trébucher sur des mots qu'elle prononçait pourtant sans accent. Elle poursuivit sur le même rythme saccadé :

– Je dois vous le dire. Je crois qu'on lui a dérobé sa montre. Elle ne figure pas parmi les effets qu'on m'a rendus et qu'il portait sur lui le soir de sa mort.

– Vous en êtes sûre ? s'étonna Alvarez. Pouvez-vous nous décrire cette montre ?

– Il y tenait beaucoup et la portait tout le temps à son poignet. C'est pourquoi j'ai été surprise de ne pas la retrouver. Si je me souviens bien, c'était un modèle assez rare. Une série limitée que le dernier chah d'Iran avait commandée pour équiper ses pilotes de chasse. Je crois qu'il y a une inscription en persan à l'intérieur du cadran. C'est mon père qui la lui avait offerte. Pour Pierre c'était un objet sans prix car ce modèle est aujourd'hui presque introuvable.

Elle se tut et ses yeux coururent le long des rayonnages.

– Bien sûr, nous allons vérifier ce point, reprit Alvarez qui s'exprimait avec douceur. Il n'est pas impossible qu'elle soit restée aux mains des techniciens pour les relevés d'empreintes. Je comprends que ce soit pénible, mais il nous faut aussi revenir sur la période du 16 au 25 août. Il ne vous a pas appelée au cours de ces dix jours ?

– Non. Mais ça n'avait rien d'anormal. Vous savez, nous étions mariés depuis vingt-cinq ans. Lorsqu'il était en voyage pour son travail, il pouvait très bien s'écouler une ou deux semaines sans que nous nous parlions. En l'occurrence, il me savait en Grèce avec les enfants. Je le croyais à Paris, au ministère, en train de préparer la conférence des Ambassadeurs. Il m'avait promis de revenir à Paros début septembre, pour quelques jours. Je n'avais donc aucune raison de m'inquiéter.

Elle avait l'air de se détendre peu à peu. Son élocution se faisait moins haletante. Turpin, que l'histoire de la montre de Messand avait intrigué, choisit ce moment pour intervenir :

– Pourriez-vous nous parler de son rapport avec l'Iran ?

Elle esquissa presque un sourire.

– Ah, l'Iran… répondit-elle en prenant une profonde inspiration. C'était la grande affaire de sa vie. Pas seulement à cause de moi. Pourquoi aime-t-on un pays plus qu'un autre ? Je pense que sa passion pour l'Iran vient d'abord du fait que son premier séjour a coïncidé avec la révolution. Il s'est trouvé aux premières loges pour voir le pays basculer. Ça l'a marqué. Les amis arrêtés, torturés, parfois fusillés ou pendus. Il avait déjà connu ça au Chili, vous savez, en 1973. Quand tout est renversé dans la violence. Pour le jeune diplomate qu'il était, c'était fascinant. Puis nous y sommes retournés quinze ans plus tard, lorsqu'il a été nommé ambassadeur. Les choses avaient beaucoup changé. Il s'est ardemment investi pour tisser de nouveaux liens entre la France et l'Iran. Il n'a jamais eu la prétention de bien connaître l'Iran, mais je crois qu'il en avait malgré tout une compréhension bien plus profonde que nombre d'Iraniens, moi incluse. Il *sentait* l'Iran, voyez-vous. C'était comme une intuition chez lui.

Elle s'interrompit pour boire une gorgée de café. Son regard avait maintenant traversé la fenêtre. Elle semblait se parler à elle-même lorsqu'elle reprit :

– Et puis il y avait un petit côté romantique dans son rapport à l'Iran, qui remontait à ses études. À Normale Sup, à ce qu'il m'a raconté, il s'était pris de passion pour les guerres médiques. Il dévorait les textes d'Hérodote et rêvait déjà de parcourir la Perse. Juste après notre mariage, au printemps 1978, il m'a obligée à crapahuter avec lui dans le sud de l'Iran pour marcher sur les traces d'Alexandre. Le pays était déjà à feu et à sang mais il a pris huit jours pour parcourir en 2CV la route d'invasion entre Bouchehr et Persépolis, vous imaginez ? Son ambassadeur n'était pas très content.

Elle étouffa ce qui retentit comme un rire. Il y avait maintenant de la tendresse dans son regard.

– Pourquoi croyez-vous que nous habitons dans ce quartier, près des quais de Seine ? Parce que l'essentiel de la diaspora iranienne de Paris vit ici. Pierre a toujours prétendu que ce serait idéal pour moi : la proximité des commerces iraniens, le persan qu'on entend parler dans les rues tout autour. Mais je le soupçonnais d'avoir choisi ce lieu pour lui-même. Il s'y sentait chez lui, dans un voisinage qui lui était familier.

Puis elle parut vouloir couper court à cette évocation intime. Alvarez en profita pour revenir à des questionnements plus pratiques :

– Votre mari tenait-il un journal ?

Elle réfléchit un instant avant de répondre.

– Non, pas à ma connaissance. Il aurait aimé le faire, je crois, mais il n'en aurait pas eu le temps. En revanche, lorsqu'il était au Centre d'analyse et de prévision, il y a de cela une quinzaine d'années, il s'était mis en tête d'écrire un livre sur lequel il a travaillé plusieurs mois. Il me l'a montré une fois. C'était un recueil de nouvelles fondé sur son expérience personnelle des dictatures. Ce qui le fascinait, c'était moins la machine dictatoriale en elle-même que l'effet qu'elle produit sur les gens. Comment une tyrannie transforme les individus dans leur façon d'être, de vivre, d'aimer. Comment elle peut conduire des personnes ordinaires à devenir, malgré elles, les instruments de l'oppression qu'elles subissent. Il a été tout près de publier. Puis il s'est ravisé, car il craignait que le livre ne fasse des vagues.

– Vous pensez qu'il avait conservé le manuscrit ?

– J'en suis sûre, mais laissez-moi quelques jours pour remettre la main dessus. Il doit être enfoui quelque part dans le bureau de Pierre. Je vais devoir fouiller dans ses affaires, ce que je n'ai jamais fait.

Elle éclata soudain en sanglots. Les deux hommes, qui avaient admiré jusque-là sa maîtrise d'elle-même, en furent décontenancés. Elle pleurait presque sans bruit, comme en s'excusant. Ils attendirent qu'elle se fût calmée pour reprendre.

– Madame Messand, demanda un peu abruptement Alvarez, une dernière chose : votre mari avait-il des ennemis ? Avez-vous à l'esprit quelqu'un qui aurait pu souhaiter sa mort ? Je suis tenu de vous interroger sur ce point.

La question surprit Turpin. Ce doit être une figure imposée dans le manuel des flics, se dit-il. Mais Farvardine Messand répondait déjà avec détermination. Son élocution avait repris le rythme saccadé du début.

– Écoutez, Pierre était diplomate. C'était toute sa vie, la diplomatie. Et un bon diplomate ne se fait pas d'ennemis. Il est payé pour ne pas s'en faire. Pierre avait une haute idée de son métier. Il croyait vraiment à sa mission. Dans tous les postes où il a servi, je crois pouvoir dire qu'il a laissé le souvenir d'un homme respectueux et aimable. Même en Iran, où il avait connu le régime impérial, il s'est toujours efforcé de tendre la main, de bâtir des ponts avec les autorités islamiques. À tel point que je trouvais parfois qu'il en faisait un peu trop. Je ne sais pas si les mollahs l'appréciaient, mais ils le respectaient. Non, en toute sincérité, je n'imagine guère qu'il ait pu se faire des ennemis. En tout cas pas au point de provoquer son assassinat.

*

De retour au Quai d'Orsay, Turpin sentit que le ministère s'ébrouait enfin de la funeste torpeur dans laquelle l'assassinat de Messand l'avait tout entier plongé. Il lut dans sa messagerie plusieurs demandes de contributions écrites en vue de l'Assemblée générale des Nations unies. L'Assemblée générale… Le grand cirque new-yorkais commencerait dans moins de deux semaines. Turpin y avait pris part une fois dans sa carrière, envoyé comme renfort de la mission française. Étourdi dans l'essaim des délégations, il avait vu l'humanité convoquer ses tribus, écouté de fastidieux discours dans des langues ignorées, et assisté sans y croire à la comédie de la paix. Il s'était promis qu'on ne l'y prendrait plus. Cette année encore, le grand bazar mondial serait dominé par la question d'Irak, où les choses dévalaient une mauvaise pente. L'assassinat le 19 août du représentant spécial de l'ONU à Bagdad, et celui dix jours plus tard du principal leader de la communauté chiite, montraient que la *pax americana* promise par Washington restait loin d'être acquise. La direction d'Afrique du Nord et du Moyen-Orient serait sollicitée au premier chef pour l'élaboration des notes d'entretien et des interventions. Turpin consigna les réunions de préparation auxquelles il serait tenu de participer les jours suivants. Puis il trouva le message promis par les Ressources humaines et ouvrit le document qui y était attaché.

Le listing contenait une douzaine de noms. Beaucoup lui étaient inconnus. Il repéra tout de même Jean-Louis Buren, directeur des Affaires stratégiques, vétéran du même cabinet ministériel que Messand, ainsi que Jérôme Mariotti, un ancien de Brasília qui occupait aujourd'hui la fonction de directeur des Ressources humaines. Il reconnut aussi le nom d'Élisabeth Janson-Smith, l'adjointe de Messand à la direction politique, dont il avait déjà vu le paraphe sur des bordereaux de transmission interne. Les autres agents mentionnés avaient côtoyé Messand à Jérusalem, à Téhéran, ou au Centre d'analyse et de prévision. Aucun nom ne correspondait au séjour de Messand à Santiago du Chili. Ils sont peut-être tous morts, ceux qui l'ont connu là-bas, songea Turpin.

Par qui commencer ? Il se rappela les mots de Mazières : *Reconstruire le parcours de Messand, dresser son profil psychologique.* Ceux d'Alvarez : *Il va falloir fouiller dans son passé. Identifier, dans son parcours, des zones d'ombre.* Turpin résolut de remonter aussi loin que possible dans le passé de Messand. Un rapide coup d'œil à la liste lui révéla que Mariotti ferait l'affaire. Messand avait séjourné au Brésil de 1980 à 1984, Mariotti de 1982 à 1985, en tant que premier secrétaire. Restait à espérer qu'au-delà de leur coexistence dans l'ambassade, ils s'étaient fréquentés.

Le jeune Bruxel s'était absenté pour effectuer sa visite de présentation à l'ambassade d'Israël. Turpin en profita pour appeler le secrétariat de Mariotti et solliciter un rendez-vous. À sa surprise, on lui indiqua qu'il pourrait être reçu le jour même à 18 heures, dans les locaux du ministère avenue Kléber.

Avant de reprendre le métro, Turpin reçut un nouvel appel d'Alvarez.

– Nous avons vérifié, dit celui-ci. Mme Messand a raison. La montre de son mari n'a pas été retrouvée parmi les objets prélevés sur le corps ou dans l'appartement. Elle a bel et bien été dérobée le soir du meurtre.

– Serait-ce un mobile suffisant ?

– Ça paraît un peu gros. Même si c'est une montre assez rare. J'ai appelé un horloger spécialisé dans les modèles anciens, place Vendôme. Il confirme que Breitling a produit une série limitée pour l'Iran à la fin des années 1970. Un modèle appelé *Navitimer* qui comporte un chronomètre en quartz. L'inscription en persan au centre du cadran se lit *Havanirouz*, ce qui signifie apparemment aviation, ou force aérienne.

– Il vous a donné un prix pour ce modèle ?

– Selon lui, ça peut aller jusqu'à deux mille euros, guère plus. L'hypothèse la plus vraisemblable, c'est celle de l'occasion qui fait le larron. Quel que soit le mobile du meurtre, la personne qui a tué Messand n'aurait tout simplement pas résisté à la tentation d'empocher une belle montre. Ça ne nous avance pas beaucoup. Sauf sur le fait qu'il s'agit très certainement d'un homme. Et qu'il a sans doute voulu nous mettre sur la piste d'un crime crapuleux.

Turpin informa rapidement Alvarez de la liste d'agents fournie par la DRH et du démarrage imminent de ses entretiens. Puis il raccrocha et quitta le Quai d'Orsay.

*

Il avait toujours ressenti un malaise diffus en pénétrant dans le bâtiment de l'avenue Kléber. Était-ce l'ombre du haut commandement allemand qui y avait pris ses quartiers pendant l'Occupation ? Ou parce qu'on y décidait du sort de chaque agent – affectations, promotions, sanctions – dans une atmosphère de silencieuse conspiration ? Avant la guerre, l'immense bâtisse avait abrité un hôtel de grand luxe, le *Majestic*, avant d'être rachetée par l'État. On y avait alors logé des bureaux avec l'inventivité suspecte et limitée d'un aristocrate ruiné qui aurait décidé de transformer sa bibliothèque en poulailler. Les directeurs occupaient d'anciennes suites ternies par les ans, tandis que rédacteurs et secrétaires s'entassaient parfois dans des salles de bains ou des placards à balais.

En patientant dans l'antichambre de Mariotti, collé contre un vieux lavabo, Turpin songea avec une pointe de cynisme qu'en vue d'un nouveau départ à l'étranger, se faire connaître du directeur des Ressources humaines en personne pourrait ne pas être inutile. Il avait affaire, d'ordinaire, à des sous-fifres avec lesquels il fallait négocier pied à pied.

Mariotti, du reste, n'était guère estimé. Il traînait une réputation de dureté que seule surpassait celle de sa pingrerie. On racontait qu'à Sofia, où il avait été ambassadeur, il abreuvait ses hôtes d'un affreux mousseux des Carpates qu'il facturait à l'Administration au prix d'un bon champagne. Mais il était perçu comme un gestionnaire talentueux et il n'était pas rare, au Quai d'Orsay, que l'avarice passât pour une vertu. Issu d'une célèbre famille d'industriels venue de Parme qui avait fait fortune dans les pâtes alimentaires, il était communément surnommé « La Nouille ». Découvrant son visage oblong, lisse et verdâtre lorsqu'il fut invité à entrer, Turpin se fit la réflexion qu'il avait plutôt l'air d'un concombre.

Le concombre avait l'œil vif. Turpin n'aurait su dire si la mort violente de Messand lui causait du chagrin. Mariotti s'exprimait sur un ton neutre, sans bienveillance ni animosité. Il évoqua son séjour à Brasília avec une espèce de détachement, comme si sa propre carrière était échue à un autre que lui.

– Les Messand résidaient déjà à Brasília depuis deux ans quand j'y ai pris mes fonctions, commença-t-il. Ils nous ont fait très bon accueil, à ma femme et à moi, en nous pilotant dans la ville et en nous présentant à nombre de leurs amis. Mon épouse s'entendait bien avec Farvardine. En tout cas au début. Elles organisaient ensemble des activités pour les enfants, des excursions autour de Brasília, des visites de musées. À l'ambassade, le courant passait plutôt bien entre Pierre et moi. Mais nous n'avions au fond qu'assez peu d'occasions de nous rencontrer.

– Comment cela ?

– Parce qu'il voyageait beaucoup à travers le Brésil, eu égard à ses fonctions de conseiller culturel. Il se trouvait souvent à Rio, São Paulo ou Bahia pour des expositions, des inaugurations. Pour ma part, je m'occupais de la politique extérieure du Brésil, j'avais donc à faire à Brasília pour l'essentiel.

– Pourquoi dites-vous que vos épouses se sont bien entendues au début ? Elles se sont disputées par la suite ?

Le concombre se raidit et répondit d'une voix sèche :

– Absolument pas. Mais avec le temps, une distance s'est créée entre nos deux couples. C'est assez courant, dans la vie des postes. On finit par se découvrir, à la longue, des affinités différentes.

– Vous avez cessé de vous fréquenter ?
– Pas exactement. Mais nous nous sommes peu à peu éloignés. Les Messand évoluaient dans des cercles qui n'étaient tout simplement pas les nôtres.
– Quel genre de cercles ?
– Pierre et Farvardine avaient beaucoup d'amis brésiliens. Des artistes, des écrivains. Je crois que cela tenait pour partie aux activités de Pierre, qui rencontrait naturellement une foule de gens dans les milieux artistiques. Mais pas seulement. Ils avaient un sincère appétit pour ce type de vie sociale. Ma femme et moi, nous frayions plutôt parmi les expatriés. La plupart de nos amis gravitaient autour de l'aumônerie des francophones.
– Autre chose ?
Mariotti prit une inspiration et sembla réfléchir. Il promena un regard de propriétaire sur un mur où un planisphère, constellé de punaises multicolores, figurait l'impériale immensité du réseau diplomatique français. Turpin se dit qu'il avait un peu la mine pincée des gens qui, à la messe, ont reçu l'eucharistie et, tout en regagnant leur banc, portent sur le visage un curieux mélange d'humilité et de contentement de soi.
– Vous savez, il y a deux types de diplomates. Ceux qui s'immergent et ceux qui nagent en surface. J'appartiens plutôt, je pense, à la seconde catégorie, celle des agents qui s'efforcent de conserver une distance, de ne pas se laisser happer. Les Messand, eux, plongeaient tête la première. C'étaient des années intéressantes au Brésil. La fin de la dictature approchait. Les dissidents redressaient la tête, les universités s'échauffaient. Le musicien João Gilberto venait de rentrer des États-Unis. Pierre et Farvardine s'étaient pris de passion pour la bossa nova, pour la samba. Ils partaient souvent danser dans des guinguettes de la banlieue de Brasília. Ils aimaient,

je crois, cette atmosphère électrique que ma femme et moi trouvions franchement surfaite.

Turpin tenta de se représenter Mariotti dansant la samba et conjura aussitôt cette vision d'épouvante. Le directeur des Ressources humaines paraissait maintenant s'impatienter, et Turpin comprit qu'il n'aurait pas l'occasion d'évoquer sa propre carrière et son désir de répondre à l'appel du grand large.

– Écoutez, j'en suis navré mais je vais devoir abréger pour cette fois notre échange. J'ai sur les bras plusieurs incidents à régler rapidement. Un comptable est parti avec la caisse à Miami. Un chiffreur et un conseiller se sont battus au Cameroun pour une histoire de femme. J'ai aussi un ambassadeur qui menace son personnel avec un canif dans un poste en Asie. Ce que je peux vous dire, en deux mots, c'est que Messand semble avoir été apprécié par ses subordonnés en toute circonstance. J'ai ressorti son dossier administratif avant votre arrivée. Jamais une plainte le concernant. Partout, des évaluations élogieuses de la part de son personnel, à Jérusalem, à Téhéran, à Paris. J'aimerais pouvoir en dire autant de tous les cadres du Département.

*

Lorsque Turpin ressortit, il faisait déjà presque nuit. Il décida de profiter de sa présence dans le quartier pour passer voir sa mère. Il aurait dû appeler mais l'idée d'arriver à l'improviste lui plut. Il prit par la rue de Presbourg et descendit à pied l'avenue Victor-Hugo. La pluie avait cessé et la foule du soir repeuplait les terrasses et les squares.

Chemin faisant, il se dit que Mariotti ne lui avait pas appris grand-chose. L'entretien avec Mme Messand non plus. Alvarez avait raison : ils naviguaient dans un épais brouillard. Rien dans ce qu'ils avaient entendu à propos de Messand n'offrait, pour l'instant, la moindre prise. Selon sa veuve, il n'avait pas d'ennemis. Et d'après Mariotti, qui n'était pourtant pas un tendre, il faisait l'unanimité parmi ses pairs au Quai d'Orsay. Peu à peu s'esquissait le portrait d'un homme qui avait manifestement aimé son métier, qui s'était immergé – pour reprendre le mot de Mariotti – avec passion dans chacun des pays où le ministère l'avait envoyé. Était-ce là que se trouvait la clé de son assassinat ? Se pouvait-il que Messand, dans son rôle de diplomate caméléon, son empathie pour les heurs et malheurs d'autres nations, eût déchaîné les forces obscures qui avaient causé sa perte ? Était-ce cela qu'avait sous-entendu Mariotti en décrivant, avec un brin de condescendance, l'attitude de Messand au Brésil ?

Deux questions précises demeuraient en outre en suspens : le vol de la montre de Messand avait-il une signification pour l'enquête ? Et où avait bien pu disparaître le directeur politique au cours des dix jours précédant son assassinat ? Dans l'immédiat, tels étaient les sujets à creuser.

*

Turpin connaissait bien cette expression de défi sur le visage de sa mère mais n'en saisit pas tout de suite la cause. Qu'avait-elle encore fait ? Il comprit lorsque apparut à ses pieds une créature velue, noire et frétillante.

– Maman, ne me dis pas que tu as un nouveau chien !

– Eh bien si, figure-toi ! Il s'appelle Félix.

Il poussa un soupir. Sa mère avait eu un chien durant cinq ans, un vilain bâtard recueilli au bord d'une route du Cantal, mais il était mort trois mois plus tôt et Turpin avait secrètement espéré que les expérimentations canines s'arrêteraient là.

– Ce n'est pas plutôt un nom de chat, Félix ?

– Je ne vois pas pourquoi les chiens ne pourraient pas porter des noms de chat.

– Tu l'as ramassé où, celui-là ?

– Je ne l'ai pas ramassé, il est venu à moi. Dans la forêt de Fontainebleau. Il ne portait pas de collier, il a dû être abandonné au bord de l'autoroute par des gens qui partaient en vacances.

Elle présentait la chose comme une évidence. Turpin se tut. Sa mère n'en faisait qu'à sa tête, il n'y avait donc rien à dire.

– Parle-moi plutôt de cet assassinat au Quai d'Orsay, reprit-elle. Je trouve que la presse n'en dit pas grand-chose. Tu le connaissais, ce Messand ?

Il hésita à lui révéler la mission dont il était chargé et décida pour l'instant de ne rien dire. Il souhaitait par-dessus tout éviter une nouvelle conversation orageuse sur la diplomatie française. Aux yeux de sa mère, le Quai d'Orsay était un ramassis de gens étranges, vaguement désaxés et gravement compromis dans les activités les plus noires de l'État.

– Non, je ne le connaissais pas.

– Mais tu en penses quoi ?

– Rien, je n'en pense rien. Sinon que c'est une triste fin que de terminer ainsi, égorgé dans son salon un vendredi soir.

– On l'a égorgé ?

Turpin se mordit les lèvres. Les détails de la mort de Messand n'avaient sans doute pas été communiqués aux médias. Il s'efforça d'esquiver.

– C'est ce que j'ai entendu dire.

Curieusement, elle ne chercha pas à creuser la question. Il contempla un moment la bohème qu'était la vie de sa mère, les fauteuils enfouis sous les piles de vieux journaux, les photographies où elle voisinait avec d'autres acteurs sociétaires du Français, les reliques de ses tournées de jeunesse. Comme il avait détesté cela, ses longues absences lorsqu'il était enfant, les soirées passées seul quand elle était sur scène… Son estomac se noua au souvenir des hommes d'un soir, d'une saison tout au plus. Elle revint à la charge :

– Le ministère a-t-il une piste ? J'ai lu dans le journal qu'il avait servi plusieurs fois en Iran. Ça peut être un coup des Iraniens, non ?

– Tu te prends pour Agatha Christie ?

Elle le toisa de son regard mauve.

– Non. Mais tu avoueras que ce n'est pas banal, cette affaire. Enfin, ça prouve au moins une chose. C'est qu'à jouer les romanichels de luxe dans des pays pouilleux, on finit toujours par se faire des ennemis.

Il se tut par peur du piège qui menaçait de se refermer sur lui. Le chien Félix, affalé sur un pouf jaune dans une pose de fauve ébouriffé, le fixait avec la même intensité que sa mère. Il savait pertinemment où elle voulait en venir. À son errance de poste en poste qu'elle prenait pour une fuite. À son prétendu manque de vocation pour un métier qu'elle jugeait médiocre. Aux yeux d'Amélia Turpin, un diplomate n'était ni plus ni moins qu'un fonctionnaire. Professant pour les serviteurs de l'État un insondable mépris, elle avait vécu l'entrée de son fils dans la Carrière, quelque vingt ans plus tôt, comme un déclassement.

Ils dînèrent d'un gratin de pommes de terre dans la cuisine. Conformément au rituel établi, Turpin écouta patiemment sa mère éreinter la programmation théâtrale du moment, s'amusant parfois de ses saillies. *On joue « La Mouette » à l'Odéon. Mais s'il avait vu tous ces vieux hiboux du Quartier latin, Tchekhov l'aurait sûrement rebaptisée « La Chouette »*. Seule une représentation du *Cid* à Nanterre, *un peu trop ibérique mais sans lourdeur*, fut épargnée.

Le coup de grâce fut servi avec le café lorsqu'ils passèrent au salon. Sur l'écran muet de la télévision, des images de Bagdad en flammes projetaient dans la pièce une lueur de désastre.

– Je pars dimanche à Antibes, pour une semaine. Chez mon amie Rose, qui m'a convaincue de participer avec elle à une retraite théâtrale aux îles de Lérins. En matière de vieux hiboux, ça se pose là. Mais enfin, nous serons au soleil. Je te laisserai Félix samedi soir. Promets-moi que tu seras gentil avec lui.

*

La nuit était encore tiède quand Turpin ressortit dans la rue de la Pompe. Il décida de rentrer chez lui à pied. Une bonne heure de marche ne serait pas de trop pour que se dissipe le malaise invariablement causé par les mots de sa mère.

Il songea à Messand. *Pierre avait une haute idée de son métier*, avait dit sa veuve le matin même. *Il croyait vraiment à sa mission*. Ai-je aussi une haute idée de mon métier ? se demanda-t-il en longeant les bassins du Trocadéro. Les attaques récurrentes de la vieille actrice quant à son manque de vocation touchaient un point sensible. Avait-il jamais cru à ce qu'il faisait ? N'avait-il pas embrassé la Carrière pour la seule volupté du nomadisme cossu qu'elle offrait ? Pour ce plaisir de l'ubiquité, cette sensation étrange d'être là sans y être, et de n'y être jamais pour longtemps. Pour l'ivresse du néophyte face aux idiomes inconnus ; pour la conquête sans lendemain de femmes mûries sous d'autres soleils que le sien… Et ne reproduisait-il pas, d'une certaine façon, la bohème qu'il reprochait à sa mère ? Il n'avait, en vérité, jamais reçu l'appel que d'autres au ministère invoquaient avec l'illumination des bienheureux. Travailler pour la paix. Œuvrer au dialogue entre les peuples. À la compréhension mutuelle. Toutes ces formulations ampoulées, un peu vides, derrière lesquelles restait tapie la protection féroce des intérêts nationaux, le mettaient mal à l'aise. Il concevait plus volontiers la diplomatie comme un apostolat modeste mais nécessaire, un moyen d'arrondir les angles dans un monde régi par la force et la convoitise. N'était-ce pas, au fond, la vision sans candeur qu'avait partagée Pierre Messand ?

C'est en quittant le Champ-de-Mars que Turpin éprouva pour la première fois la sensation d'être suivi. D'instinct il se retourna mais ne vit personne et continua son chemin. Quinze minutes plus tard, alors qu'il bifurquait dans l'avenue du Maine, il eut la même impression. Cette fois il s'arrêta, alluma une cigarette et plongea les yeux dans la réflexion d'une vitrine. Toujours rien. Se faisait-il des idées ? L'affaire Messand avait-elle commencé à lui empoisonner le cerveau ? Il regagna son appartement l'esprit vaguement inquiet.

3

Turpin devait se demander, plus tard, à quel moment l'homosexualité de Jean-Baptiste Bruxel lui était apparue comme une évidence. Car rien, à première vue, ne trahissait chez le jeune diplomate athlétique et viril un penchant pour les hommes. Était-ce son entêtement à fréquenter chaque jour un gymnase suspect de la rive droite qui avait fini par intriguer Turpin ? Ou bien ce jour où il l'avait surpris, penché sur son téléphone, à murmurer en arabe des *habibi* attendris ? Il ne présentait, en tout cas, aucun des symptômes communs à la tribu bariolée des invertis du Quai : ni déhanchement lascif le long des couloirs lambrissés, ni hennissement affolé en présence des chauffagistes, ni fredonnement intempestif d'opéras baroques. Assistait-on à l'apparition d'une génération furtive d'homosexuels indétectables ?

Pour l'heure, en cette matinée du vendredi 5 septembre, le jeune Bruxel mâchonnait un crayon en s'absorbant dans la lecture de sa première collection de télégrammes. Le front plissé sous ses boucles blondes, il avait l'air soucieux et appliqué d'un novice qui vient d'entrer au séminaire.

– C'est curieux, dit-il en cherchant le regard de Turpin, cette propension à l'emploi de l'adverbe *notamment* dans la correspondance des postes. Regardez le dernier télégramme de Sanaa. L'ambassadeur y décrit « les graves troubles qui ont agité le nord du pays au cours des dernières vingt-quatre heures, *notamment* dans la région de Chaab Salman ». Cela signifie-t-il qu'il ne s'est rien produit ailleurs ?

Turpin partit d'un grand éclat de rire qui alla rebondir dans un écho mat sur la surface vitreuse de son ordinateur. Pas bête, ce garçon. Il parcourut le Sanaa 327 avant de répondre :

– Vous venez de faire une découverte capitale, mon jeune ami. À votre avis, que recouvre ce *notamment* ? Je vais vous le dire. Son emploi révèle tout simplement que notre ambassade n'a pas la moindre idée de ce qu'il s'est passé ces dernières heures dans le nord du Yémen. Tout au plus sait-elle que la rébellion zaydite a encore fait des siennes. Et comment l'a-t-elle appris ? La clé se trouve à l'avant-dernier paragraphe, où l'on découvre presque fortuitement que l'aviation yéménite a pilonné la région de Chaab Salman tôt ce matin. Mais il est fort probable que cette information provienne de l'armée yéménite elle-même. Ajoutez à cela qu'elle a sans doute été recueillie par le biais de quelque chaouch qui prétend avoir ses entrées dans l'état-major. Rien de grave à tout cela, me direz-vous : personne n'ira jamais vérifier ce qui a pu arriver dans le nord du Yémen dans la nuit du 4 au 5 septembre. En tout cas certainement pas l'ambassadeur, qui n'a nulle intention de s'aventurer hors de Sanaa pour observer les cavalcades d'obscures tribus dont tout le monde, ici, se fiche éperdument. Et qui pourrait bien lui en tenir rigueur ? De toute façon, le gouvernement yéménite ne l'y autoriserait pas. Mais avec ce *notamment*, Son Excellence tenait son télégramme. Méditez, Jean-Baptiste, sur l'usage de cette petite cheville d'apparence inoffensive, qui permet aux diplomates tapis dans leurs ambassades d'écrire de si belles pages sur les affaires du monde !

Bruxel l'observait d'un œil mi-amusé mi-fasciné. Turpin, essoufflé et vaguement embarrassé par sa tirade, ne sut s'il l'avait pris pour un prophète ou pour un fou. Mais l'explication dut lui convenir car il se tut pour se replonger dans sa lecture.

Turpin était connu, au deuxième étage, pour sa maîtrise un peu maniaque des usages et ses commentaires à chaud sur la prose en provenance des postes. La lecture matinale de la première collection de télégrammes lui donnait prétexte à un examen sourcilleux d'une langue diplomatique dont il se piquait de reconnaître la bonne facture comme les contrefaçons. Certains, parmi ses plus jeunes collègues, se méfiaient de lui. Ils redoutaient les manières de ce vieux crabe qu'on avait tardivement extrait de sa saumure tropicale pour le plonger à Paris dans le court-bouillon d'une diplomatie revigorée. D'autres, intrigués par sa longue errance comme par son faible grade, étaient tentés d'imputer la modestie de sa carrière à quelque crime honteux, l'un de ces péchés d'outre-mer que l'Administration tait plus volontiers qu'elle ne les pardonne. Mais tous recouraient à lui dans leur quête de formulations élégantes et précises, ou pour se remémorer quelque usage protocolaire oublié. Le respect qu'il inspirait, teinté de perplexité, était largement partagé.

*

Pourquoi Élisabeth Janson-Smith avait-elle tenu à le recevoir dans le bureau de Messand plutôt que dans le sien ? Turpin sentit son humeur s'assombrir quand il pénétra dans la pièce aux rideaux tirés. Il ne se sentait pas d'attaque pour un numéro où la directrice adjointe des Affaires politiques jouerait les vestales dans un bureau aux allures de mausolée. Mais elle écarta les rideaux pour laisser entrer la lumière vive de l'après-midi et la pièce changea aussitôt d'atmosphère. Turpin y reconnut le goût de Messand : peintures abstraites, tapis persans…

– Je vous reçois ici afin que nous soyons tranquilles, expliqua-t-elle comme pour dissiper tout soupçon de morbidité. Sans cela, nous serions sans cesse dérangés par le téléphone. Depuis la mort de Pierre je vis un enfer. Tous les appels convergent vers moi.

Elle prit place en face de Turpin en croisant de fines jambes bronzées le long desquelles son regard remonta malgré lui jusqu'à l'ourlet d'un tailleur bleu nuit. La classe, se dit Turpin. L'annuaire diplomatique, qu'il avait rapidement consulté avant de monter au troisième étage du ministère, lui avait appris qu'elle était experte en questions politico-militaires. Un séjour à Genève à la mission permanente auprès de la conférence du Désarmement. Un autre à Bruxelles en tant que représentante permanente adjointe au Conseil de l'Atlantique Nord. Elle avait aussi dirigé une ambassade dans un pays balte.

– Je suis accaparée par la préparation de l'Assemblée générale à New York, poursuivit-elle. Mais j'entends naturellement me mettre à la disposition de l'Administration pour les besoins de l'enquête. En quoi puis-je vous être utile ?

– Avez-vous une idée de ce qu'a pu faire Messand entre le 16 et le 25 août ? commença Turpin. Vous a-t-il dit où il se trouvait ?

– Je n'en ai pas la moindre idée. Je le savais en vacances. C'est moi qui gardais la boutique.

– Vous a-t-il contactée durant cette période ?

– Oui, une fois, sur mon portable.

– Vous vous rappelez à quel sujet ?

– Il souhaitait tout bêtement faire un point avec moi sur la préparation de la conférence des Ambassadeurs.

– Quel jour a-t-il appelé ?

– Je ne sais plus… Attendez. Si. Je crois que c'est le jour où Sérgio Vieira de Mello a été tué à Bagdad. Vous savez, cet énorme attentat contre le siège de l'ONU. Messand a téléphoné dans la soirée. Mais je n'ai pas su d'où il m'appelait. L'écran de mon téléphone a affiché un numéro masqué.

– Le 19 août, donc. Il avait l'air normal au téléphone ?

– Oui. Peut-être un peu distant. Je ne saurais vous dire. C'était il y a six semaines.

– Vous ne vous souvenez d'aucun détail ?

Elle soupira et laissa errer ses yeux le long des motifs géométriques du tapis.

– Maintenant que j'y pense, il y a une chose qui m'a intriguée lors de son appel.

– Ah bon ? Quoi donc ?

– Eh bien, je me souviens qu'au détour de la conversation, il a déclaré qu'il avait froid.

– Il vous a dit qu'il avait froid ?

– Oui. À un moment, il m'a demandé de patienter une seconde parce qu'il avait froid et qu'il lui fallait enfiler son manteau.

– Son manteau ? En plein mois d'août ?

– Oui, c'est cela qui m'a paru étrange, sur le coup. Mais je n'y ai plus repensé par la suite.

Elle haussa les épaules, laissant entendre qu'elle n'en savait pas davantage. Où donc était allé se cacher Messand ? Dans les Alpes ? En Norvège ? Turpin parcourut des yeux les rayonnages au fond du bureau. Il n'y vit qu'une seule photographie, représentant Messand et sa femme devant ce qui ressemblait au Mur des lamentations.

– Comment décririez-vous son comportement au cours des dernières semaines ? Avez-vous observé un changement dans son attitude ?

Elle réfléchit un moment.

– Pour être franche avec vous, il m'a paru un peu tendu vers la fin juillet, juste avant de partir en congé.

– Tendu ? Comment cela ?

– Je ne sais pas. Un sommet s'est tenu à Prague, qui lui a donné beaucoup de fil à retordre. Mais en dehors de cela, on aurait dit qu'il avait reçu des nouvelles importantes. Il se montrait un tantinet plus fébrile que d'habitude. J'ai pensé qu'il négociait peut-être un nouveau départ en poste avec le cabinet. Il rêvait d'être nommé à Rome. Mais il ne m'a rien dit.

– Vous vous entendiez bien avec lui ?

– Très bien, oui. C'eût été difficile de ne pas s'entendre avec lui. J'avais beaucoup d'estime pour Pierre. Comme tous ses collaborateurs ici.

Les mots de Mariotti. *Messand semble avoir été apprécié par ses subordonnés en toute circonstance.* On tourne en rond, se dit Turpin. Où se trouve la faille dans la cuirasse du parfait diplomate ?

Élisabeth Janson-Smith dut lire dans ses pensées car, lorsqu'elle reprit la parole, elle avait l'air moins assurée.

– Bien sûr, si on remonte un peu plus loin au cours des derniers mois, il y a l'affaire irakienne. Ça l'a beaucoup affecté. Il n'était plus vraiment le même homme depuis toute cette histoire.

– L'affaire irakienne ? Que voulez-vous dire ?

Elle se redressa dans son fauteuil et lui jeta un regard surpris.

– Comment ? Vous ne savez pas ? Vous n'avez pas suivi toute cette affaire ?

– Quelle affaire ?

Elle se tordait maintenant les mains.

– Je pensais que tout le monde savait…

– Racontez-moi. Je n'ai pas la moindre idée de ce que vous évoquez.

– Eh bien… Comment commencer… Vous êtes familier de la chronologie du dossier irakien depuis un an ?

– Dans les grandes lignes, oui. La résolution 1441 en novembre 2002. L'intervention américaine en mars dernier…

– Bien. Commençons par la résolution 1441. Vous vous rappelez qu'à l'automne de l'an passé, nous avons finalement convaincu les Américains de traiter le dossier aux Nations unies. Le 8 novembre de l'année dernière, le Conseil de sécurité vote à l'unanimité un texte largement inspiré par la France qui, je cite de mémoire, « avertit l'Irak des graves conséquences auxquelles il s'exposerait s'il continuait à manquer à ses obligations ».

– Je m'en souviens bien, intervint Turpin qui se remémora l'exaltation qu'avait provoquée dans le ministère cette victoire diplomatique française. C'était la fameuse démarche en deux temps, n'est-ce pas ?

– Absolument. Les États-Unis avaient dû renoncer à l'expression « par tous les moyens possibles », qui désigne le recours automatique à la force. En substance, nous obligions donc Washington à repasser devant le Conseil de sécurité avant de frapper. L'expression « graves conséquences », que nous avions obtenue de haute lutte avec l'appui des Russes, laissait au Conseil la liberté d'apprécier les suites à donner à un éventuel rapport négatif des inspecteurs en désarmement.

– Je vous suis, continuez, l'encouragea Turpin.

Elle fit une pause pour se lever et commander du thé à son secrétariat. Son visage s'était animé lorsqu'elle reprit.

– Jusque-là, tout allait bien, si j'ose dire. Mais au tout début de cette année, dans les premiers jours de janvier, nous avons appris par divers canaux que les Américains avaient pris la décision de frapper, avec ou sans l'aval du Conseil de sécurité. C'est là que les choses se sont corsées. La France a été placée devant un dilemme. Parce qu'elle avait en main cette information cruciale sur la détermination américaine à aller de l'avant.

– Comment cela ? Je croyais que la position défendue par la France faisait l'unanimité, au sein du ministère et au-delà…

– Sur l'opposition à la guerre, oui, bien sûr. Et sur le fait que l'Irak avait probablement détruit depuis longtemps tous ses stocks d'armes de destruction massive. Mais quelle position adopter lorsqu'on sait que la guerre aura lieu ? Lorsque ce n'est plus une question de *si*, mais de *quand* ?

– C'est à ce moment-là que nous avons choisi de délégitimer l'entreprise américaine, n'est-ce pas ?

– Précisément. Le 20 janvier, le ministre donne à New York une conférence de presse au cours de laquelle il déclare que la France assumera toutes ses responsabilités, ce qui est une façon d'avertir les Américains d'un possible recours au veto. Avertissement qui sera réitéré par le chef de l'État le 10 mars, dix jours avant le déclenchement de la guerre.

– Messand était opposé à ce positionnement ? s'exclama Turpin avec étonnement.

Son interlocutrice lui lança un regard où se mêlaient patience et irritation.

– Entendons-nous bien, monsieur Turpin. Pierre Messand était farouchement hostile à l'intervention américaine. Comme presque tout le monde dans ce ministère, il considérait que les États-Unis s'apprêtaient à commettre une faute monumentale, sur le plan politique comme sur le plan de la morale internationale.

– Alors, que s'est-il passé ?

– Il était tout simplement accablé par ce qu'il considérait comme un grave échec de la diplomatie française.

– Un échec ?

– Oui, un échec. Il n'a pas compris l'excitation unanime qui régnait ici lors du fameux discours du ministre à New York le 14 février. Vous vous rappelez. *C'est un vieux pays qui vous le dit...*, avec des trémolos dans la voix. Il était littéralement consterné. Non par le discours en lui-même, car c'était assurément un beau texte. Mais par le fait que toute notre action diplomatique tienne dans cette déclaration. Pour lui, l'objectif ultime de la diplomatie, c'était d'empêcher la guerre, pas de se faire plaisir en prononçant de beaux discours. C'est en ce sens qu'il était conscient d'un très grave échec. Il savait que ni la France ni les Nations unies dans leur ensemble ne pourraient couper la route à cette expédition militaire. Et il se montrait convaincu que sous prétexte de ne pas souiller l'ONU dans ce conflit, nous allions aussi mettre en relief son impuissance.

– Vous partagez cette vision des choses ?

– Oui, à maints égards. Mais ce n'est pas cette vision en elle-même qui l'a opposé au reste de l'Administration. Ce sont les implications qui en découlaient.

– Il était partisan d'intervenir en Irak au côté des Américains ?

– Certainement pas. Il faut revenir au cœur de son raisonnement pour comprendre la posture qu'il a défendue – en vain. D'une part, Messand considérait dangereux notre positionnement consistant à pousser les Américains à la faute. Il estimait qu'en contraignant un membre permanent du Conseil de sécurité à frapper en dehors de toute légalité internationale, nous allions créer un périlleux précédent. Il se montrait particulièrement inquiet des leçons qu'en tirerait à l'avenir, par exemple, un autre membre permanent comme la Russie. D'autre part, il jugeait stérile de s'opposer frontalement aux États-Unis comme nous l'avons fait, en ralliant derrière notre drapeau d'autres membres du Conseil. Il pensait que la relation bilatérale avec Washington en souffrirait durablement ; que nous deviendrions inaudibles durant toute la conduite des opérations militaires et au-delà. Et sur ce point, on peut déjà constater qu'il avait raison.

– Mais alors, que préconisait-il ?

– C'est ce qui l'a mis en porte-à-faux avec tout le reste du Département. Sans rien remiser de nos critiques et de nos doutes quant au bien-fondé de cette guerre, il recommandait tout simplement que nous nous abstenions. Que nous ne prenions pas seuls la responsabilité d'un blocage au Conseil. Pour ne pas se fâcher avec les Américains et conserver des marges de manœuvre après l'intervention.

– Vous pensez qu'il avait raison ?

– Sur le fond, oui. Regardez ce qu'est la situation actuelle. Un – la guerre a eu lieu, elle a été dévastatrice pour l'Irak et le sera sans doute pour la région. Deux – personne n'a pu dissuader un membre permanent du Conseil de sécurité de s'en prendre à un petit pays. L'ONU a démontré sa totale impuissance. C'est un échec absolu du système de sécurité collective mis en place en 1945. Trois – nous sommes à couteaux tirés avec les Américains, qui ne nous écoutent ni sur l'Irak, où ils n'en font qu'à leur tête, ni sur aucun autre dossier. Quatre – l'ONU a fini par avaliser une situation de fait accompli qu'elle récusait. Je vous rappelle que le Conseil de sécurité a voté à l'unanimité, le 22 mai dernier, la résolution 1483 qui sanctifie l'occupation de l'Irak en octroyant aux puissances occupantes, dans des proportions exorbitantes, le contrôle de l'économie, des ressources naturelles et de l'avenir politique du pays. Et nous, malgré tous nos beaux discours, nous l'avons votée cette résolution !

Turpin admit intérieurement qu'il n'avait jamais envisagé l'affaire irakienne sous cet angle. Jusqu'à cet instant, il avait toujours fait sienne l'idée répandue selon laquelle la France avait traité ce dossier avec panache et perspicacité. Il regarda Élisabeth Janson-Smith, dont les grands yeux noirs brillaient maintenant d'une émotion mal contenue.

– Qu'est-il arrivé à Messand ? demanda-t-il doucement.

Elle tarda à répondre. Il but une gorgée du thé qu'elle lui avait servi et reconnut l'arôme fumé d'un lapsang qui lui évoqua son séjour au Laos.

– Rien… Il ne lui est rien arrivé, justement. Mais c'est toujours une faute d'avoir raison contre tout le monde. Sans jamais le lui dire, on lui en a voulu pour cela. Et puis vous savez comment fonctionne cette maison. Il est difficile d'aller à contre-courant. Comme Messand refusait d'aboyer avec la meute, on l'a peu à peu marginalisé. Cela s'est produit progressivement, de façon presque insensible. Une réunion du cabinet à laquelle on omettait de l'inviter. Un voyage du ministre auquel il n'était pas convié…

– Il s'est retrouvé vraiment seul sur le positionnement que vous m'avez décrit ?

– Pas totalement, en réalité. Notre ambassadeur à Washington, de façon très compréhensible, était sur une ligne similaire. Le secrétaire général aussi a prêté l'oreille aux arguments de Messand.

– Mazières ?

– Oui, en tout cas au début. Mais la pression était trop forte.

– Pensez-vous que tout cela puisse avoir un lien avec son assassinat ?

Elle le fixa avec une expression interloquée.

– Écoutez, ça, c'est une question pour la DST. Mais à titre personnel, je ne pense pas qu'on ait pu lui en vouloir au point de le tuer. Très franchement, ça me paraît tiré par les cheveux et ça ne m'est pas venu à l'esprit. Messand avait perdu, c'est la ligne opposée à la sienne qui a prévalu. Dès lors, quel intérêt y avait-il à le supprimer ?

Turpin se leva pour la remercier et prendre congé, mais elle l'arrêta avant qu'il n'ouvre la porte.

– Vous savez, le pire dans tout ça, c'est que nous nous sommes enfermés dans une position excessivement malsaine, qui revient à se réjouir jour après jour de toutes les horreurs qui surviennent en Irak. Chaque attentat nous permet de dire aux Américains « on vous l'avait bien dit ». C'est inepte et stérile. Car nous nous sommes privés de toute capacité à influer sur le cours des choses. C'est précisément ce que redoutait Pierre.

*

– Nous sommes toujours au point mort, déplora Alvarez d'un air abattu. Ce soir, une semaine se sera écoulée depuis le meurtre de Messand, et nous n'avons pas la moindre piste.

Ils avaient pris place dans le café du terminal aérien, en face du ministère. En cette veille de week-end, le bâtiment d'Air France grouillait de voyageurs pressés d'embarquer dans les autocars qui les conduiraient à Orly. Turpin buvait son américano à petites gorgées en songeant avec désespoir au chien Félix qu'il lui faudrait accueillir le lendemain soir. Un trio de fonctionnaires en complet gris sombre vint s'asseoir à la table voisine et commanda des bières. Ils ont la mine sinistre des agents du service juridique, songea Turpin. La tête à avoir planché toute la semaine sur une réforme du régime des quotas de pêche ou sur un nouveau règlement du trafic routier dans le tunnel du Mont-Blanc.

Il venait de raconter à Bertrand Alvarez ses entretiens avec Mariotti et Janson-Smith. Les propos de la directrice adjointe des Affaires politiques avaient, certes, révélé un aspect qu'ils ignoraient jusque-là – l'isolement de Messand au sein du ministère. Mais c'était peu. En tout cas pas suffisant pour orienter l'enquête dans une direction précise. Seule la mention du coup de fil de Messand le 19 août éveilla l'intérêt de l'enquêteur. L'information selon laquelle Messand avait appelé d'un endroit où il faisait froid ouvrait une perspective, si ténue fût-elle.

– Je vais faire vérifier les listings des vols pour l'Irlande, l'Écosse et la Scandinavie à compter du 16 août, dit-il. Ce sera sans doute un coup d'épée dans l'eau, mais ça vaut le coup d'essayer.

– Ça suppose qu'il ait pris l'avion au départ d'un aéroport français, ce dont nous ne savons rien, objecta Turpin. Et puis rien ne nous dit qu'il a pris l'avion.

– C'est juste. Mais à ce stade de l'enquête, je ne peux guère demander à chaque aéroport en Europe de nous fournir les manifestes de tous les vols qui ont décollé entre le 16 et le 25 août. Ce serait titanesque.

Alvarez observa avec amusement les bagagistes d'Air France qui s'affairaient avec prudence autour de deux caisses grillagées contenant des chiens-loups en pleine crise d'hystérie.

– Un autre développement vient d'intervenir, dont je n'ai pas encore eu le temps de vous parler. Farvardine Messand m'a appelé en fin de matinée. Elle ne retrouve pas le manuscrit de son mari qu'elle a évoqué hier. Elle assure avoir fouillé chaque recoin de son bureau, en vain.

– Il aurait été volé, comme la montre ?

– C'est ce qu'elle pense. Reste à savoir pourquoi. Si ce qu'elle assure est exact, je vais être obligé de renvoyer l'équipe de techniciens pour passer le bureau au peigne fin. On n'a trouvé aucune empreinte suspecte dans le salon, ce qui signifie que le meurtrier portait certainement des gants. Mais je suis tenu de faire examiner l'autre pièce également, à toutes fins utiles.

Le manuscrit de Messand… *Un recueil de nouvelles sur son expérience des dictatures*, avait dit sa veuve. Y avait-il parmi ces textes des éléments permettant de remonter au meurtrier ? Quelque chose qu'il importait de faire disparaître ? Turpin eut soudain une fulgurance aussi rapide que fugitive. Était-ce une chose dite par Farvardine Messand qui lui avait semblé importante et qui se dérobait maintenant à sa mémoire ? Il creusa ses souvenirs de la discussion de la veille – en vain. C'est avec un sentiment de frustration qu'il prit congé d'Alvarez. Il lui restait un entretien à conduire avant la fin de la journée.

*

Sous l'effet d'une sudation huileuse et tiède, le directeur des Affaires stratégiques luisait silencieusement dans la pénombre de son grand bureau. Sa face olivâtre brillait ce soir-là d'un éclat bistre qui lui donnait vaguement l'apparence d'une bassinoire. Jean-Louis Buren se trouvait englué dans un doute tenace et poisseux. À plus d'un mois de distance, les images de Prague lui revenaient en mémoire par saccades, comme ces douleurs lancinantes qui investissent, à intervalles réguliers, un membre commotionné. Il n'avait pourtant pas rêvé : c'était vers lui, et vers lui seul, que le chef de l'État s'était tourné avant de quitter la salle du sommet. C'était lui que le président avait tenu à remercier, au terme de cette réunion délicate qu'il avait mis tant d'énergie à préparer. *Merci. Je vous félicite pour l'excellente préparation de ce sommet. Je n'en espérais pas tant. Je saurai m'en souvenir, monsieur le directeur politique.* C'était à ce moment-là que Buren avait entrevu l'Enfer. Le président s'était-il mépris ? Pourquoi lui avait-il donné un titre qui n'était pas le sien ? Celui de Messand. Un comble. Le président avait-il eu l'intention d'exprimer sa gratitude à Messand ? Mais pourquoi s'était-il alors tourné vers lui ? Avait-il cru remercier Messand en s'adressant à lui ? Messand n'était pourtant pas loin. Ou avait-il voulu le distinguer, lui, en se méprenant sur sa fonction ? Comment savoir ? Peut-être approcherait-il discrètement le conseiller diplomatique de l'Élysée pour tirer l'affaire au clair. Ou bien le chef du protocole. Mais ce serait malaisé. Il courrait le risque de se couvrir de ridicule. Et puis Messand était mort. Quelle barbe ! Penserait-on en haut lieu qu'il cherchait à s'attribuer les lauriers d'un mort ?

La sonnerie de l'interphone le fit sursauter.

– Monsieur Turpin est arrivé, monsieur.

– C’est qui ça, Turpin ?

– Afrique du Nord et Moyen-Orient. Il est rédacteur, monsieur, mais il est mandaté par le secrétaire général.

Buren émit un petit soupir. Que lui voulait-on encore ? Il n’entrait pas dans ses habitudes d’ouvrir sa porte aux rédacteurs. Et moins encore à un traîne-babouche du second étage.

– C’est pour quoi ? Que veut-il ?

– Il ne veut pas me le dire, monsieur. C’est confidentiel, je crois.

Ce devait être la torpille de Mazières. Le type annoncé par le message de l’avant-veille. Messand, encore lui. Pourquoi le poursuivait-il comme un fantôme ?

– Faites-le entrer. Mais dérangez-moi dans vingt minutes, trente au maximum. Dites que Matignon cherche à me joindre, je ne sais pas, n’importe quoi.

Le bureau donnait sur l’esplanade, et Turpin aperçut la flèche hirsute de la tour Eiffel par la fenêtre de droite. Des étagères en bois sombre couvraient entièrement le mur de gauche. La pièce sentait le rance. Une odeur tiède, un peu molle, une odeur d’hôtel de province. La table de travail se trouvait au fond, entre les deux fenêtres. Buren lui fit signe de s’asseoir.

– C’est à propos de Messand, n’est-ce pas ? Mazières vous a désigné pour assister les enquêteurs ?

Turpin prit son temps avant de répondre. Il scruta son hôte, s’étonnant presque de se trouver là. Ses fonctions le conduisaient rarement à la direction des Affaires stratégiques. Puis il baissa les yeux et commença.

– Je ne vous importunerai pas bien longtemps, monsieur le directeur. Votre temps est précieux. Je m’emploie à rencontrer les agents qui ont servi avec Messand. Je comprends que vous avez été membre du même cabinet. Sous Dumas.

Buren le toisa.

– Vous ne lisez pas l'annuaire ? J'étais conseiller pour les questions politico-militaires. Tout le monde sait cela.

Il prononça *cela* distinctement. Deux syllabes parfaitement séparées l'une de l'autre qui flottèrent un moment dans la touffeur du bureau.

– C'est ce qu'on m'a dit, poursuivit Turpin sans se décontenancer. J'aimerais que vous me parliez de Messand. Vous avez travaillé deux années sous ses ordres. Le connaissiez-vous bien ? Étiez-vous amis ? Vous arrivait-il de le fréquenter hors du ministère ?

– Pourquoi voulez-vous savoir si nous étions amis ? Quel rapport avec l'enquête ?

– Nous nous efforçons de le cerner à chacune des étapes de son parcours. Qui voyait-il ? Quels étaient ses centres d'intérêt ? Tout cela nous intéresse.

– Qui ce-la, nous ?

– Nous. Les enquêteurs de la DST et moi-même.

Le directeur des Affaires stratégiques leva les yeux au ciel.

– Avez-vous seulement une idée du nombre de personnes que Messand a rencontrées depuis son entrée au ministère ? C'est inouï ! Ce sont des méthodes de pied nickelé que vous employez là. Au cours de la seule période où il fut directeur adjoint du cabinet, Messand devait avoir plus de vingt conseillers sous son autorité. Sans compter les secrétaires, les coursiers, les gardes, que sais-je encore. Ce-la va vous prendre des mois, des années. Et pourquoi m'interroger moi plutôt qu'un autre ?

– Parce que vous êtes ici, à l'Administration centrale. La plupart de vos anciens collègues du cabinet sont en poste, ou détachés dans d'autres ministères. Je commence donc par vous. Ce-la vous gêne-t-il ?

Sans relever l'impertinence, Buren haussa de nouveau les yeux vers le plafond.

– Écoutez. Non, je ne connaissais pas bien Messand. J'ignore totalement qui il pouvait fréquenter hors du ministère. Nous n'étions pas intimes. Nos carrières ont seulement coïncidé à un moment donné. Ce qui, si on y réfléchit, est un peu étrange.

– Qu'est-ce qui est étrange ?

– Rien ne nous rapprochait vraiment, voyez-vous. Sur un plan professionnel, soit entendu.

– Je ne suis pas sûr de vous suivre…

Buren parut vouloir adopter le ton de la confidence. Ses petits yeux bruns se plissèrent et sa face, d'ordinaire plutôt ronde et bonhomme, fut soudain celle d'un rongeur aux aguets.

– Rien ne nous rapprochait vraiment, répéta-t-il. Comment vous dire ? C'est un peu délicat. Disons qu'après l'ENA, sa carrière a pris un cours pour le moins curieux. Une trajectoire qui n'était pas celle d'un agent de sa trempe.

– Vous vous référez aux ambassades où il a servi ?

– Oui, mais pas seulement. Bien sûr, Santiago, Brasília, Téhéran, Jérusalem… Ce-la n'est guère brillant. Ce ne sont pas des postes d'énarque. Ou alors une fois, si on tient à se dégoter une femme exotique. Mais là, quatre postes de la même veine, ça ne relève plus du péché de jeunesse. C'est de l'obstination. Ou de l'aveuglement. Et puis il y a ce long passage au Centre d'analyse et de prévision. Quatre années. Certes, on y dépend du ministre. Mais au fond, c'est une voie de garage. On vous y oublie. Vous n'êtes plus en prise, voyez-vous. Et vous ne fréquentez plus que des chercheurs, des universitaires, des types en pull et à cheveux gras qui prétendent *penser* la politique étrangère, mais n'y ont aucune part. Que voulez-vous. Messand s'est gâché. Il a fait une carrière de métèque.

Sans réagir, Turpin laissa son regard dériver vers la bibliothèque. Une trentaine de volumes de l'annuaire diplomatique, méthodiquement rangés dans l'ordre chronologique, y voisinait avec des compilations de traités internationaux. Plusieurs photographies représentaient Buren au côté de responsables politiques plus ou moins connus : un ministre de la Défense, un secrétaire général de l'OTAN… Son regard revint vers le directeur des Affaires stratégiques qui avait pris l'aspect d'un petit bouddha jaune, juché sur son piédestal de cuir, la mine lisse et moite de contentement.

– Tout de même, ambassadeur à Téhéran, consul général à Jérusalem, ça ne compte pas pour vous ?

– Jérusalem, passe encore. Mais l'Iran… Il a même récidivé. Il faut croire qu'il les aimait, ces enturbannés ! Il ne parvenait plus à s'extraire des postes de seconde zone. Pour conduire une carrière, il arrive un moment où il faut savoir attendre. Ne pas se précipiter sur la première ambassade venue. Savoir se préparer pour *le* poste qui en vaut la peine, qui vous fera rebondir. Tenez, moi, j'attends tranquillement, sans m'énerver. Moscou, Berlin, Washington… L'un de ceux-là fera l'affaire. Je ne suis pas pinailleur. Une carrière, c'est comme un arbre. Il faut la cultiver, la nourrir, en prendre soin. La laisser patiemment grandir, et parfois se résoudre à la tailler, à en couper une branche.

– Au risque d'en faire un bonsaï… Mais je me suis laissé dire qu'on vous réservait Kiev. Plutôt bien, non ? Pour un premier poste d'ambassadeur.

L'outrage fit pâlir Buren.

– Vous êtes venu discuter ma carrière ou celle de Messand ?

Turpin fut soudain pris de pitié et fit une pause. Buren s'était tassé sur son socle, comme ces petits animaux qui s'affaissent avant de bondir.

– Puis-je vous demander si vous avez le souvenir d'un événement particulièrement marquant, au cours de ces années passées au cabinet avec lui ? Je ne sais pas, une période durant laquelle Messand se serait révélé sous un jour différent. Une crise, par exemple. Comment réagissait-il aux crises ?

Buren resta pensif quelques secondes avant de répondre d'un ton docte :

– Messand était plutôt du genre placide, voyez-vous. Il sortait rarement de ses gonds. Ce qui, notez bien, est une qualité dans ce métier. Surtout dans les fonctions qui étaient les siennes. On l'appelait L'Amortisseur. Ou L'Édredon. Il encaissait les coups sans broncher, lissait les aspérités, offrait volontiers sa cuirasse au ministre.

Il s'interrompit. Au-dehors la nuit était tombée et la pièce n'était plus éclairée que par une minuscule lampe de travail qui donnait au visage de Buren l'aspect fantomatique d'une gargouille égarée dans l'obscurité d'un placard. Le ton de la confidence revint :

– Le seul moment où je l'ai vu perdre contenance, c'était juste après le meurtre de Chapour Bakhtiar.

– L'ancien Premier ministre iranien ?

– Oui. Vous vous en souvenez sûrement, il fut assassiné en France en 1991, vers le début du mois d'août. Messand était hors de lui. Il en fit une affaire personnelle, à tel point que le ministre en personne dut intervenir pour le calmer. Puis il fut assez vite dessaisi du dossier. Ce qui explique peut-être son départ pour Jérusalem, peu de temps après.

Turpin n'avait qu'un vague souvenir de cette affaire. En août 1991 il était loin de Paris et s'apprêtait à quitter la Turquie pour rejoindre son nouveau poste à Malte. Survenu au cœur de l'été, l'assassinat du dernier chef de gouvernement du chah avait été accueilli dans l'indifférence générale, alors que les puits de pétrole koweïtiens brûlaient encore et que l'Union soviétique traversait ses derniers spasmes.

– Pourquoi Messand était-il hors de lui ? Vous avez une idée ?

– Je crois qu'ils se connaissaient. Ça devait dater du premier séjour de Messand à Téhéran. J'ignore s'ils étaient restés en contact après que Bakhtiar eut trouvé refuge en France. Mais je peux vous assurer que ce meurtre l'a violemment affecté.

*

Quand il fut rentré chez lui, Turpin fouilla sa bibliothèque à la recherche d'un ouvrage général qui pourrait le renseigner sur le parcours de Chapour Bakhtiar. Son encyclopédie, publiée en 1987, lui apprit tout au plus que Bakhtiar, qui avait déjà résidé en France avant et pendant l'Occupation, s'était longtemps illustré en Iran par son opposition au régime impérial. Le chah, aux abois, avait fini par le nommer Premier ministre dans les tout derniers jours de son règne. L'expérience n'avait duré que trente-six jours. Après le retour de Khomeiny à Téhéran en février 1979, Bakhtiar était entré en clandestinité et s'était réfugié en France. L'article, succinct, s'arrêtait là.

Comment en apprendre davantage sur les circonstances de son assassinat ? Il faisait déjà nuit. Turpin joua brièvement avec l'idée, peu enthousiasmante, de ressortir pour se rendre au Centre Pompidou, dont la bibliothèque restait ouverte jusqu'à 22 heures. Quelle corvée ! Il traîna longtemps sur son canapé avant de se résoudre à attraper son téléphone. Il trouvait la perspective d'appeler Jean-Baptiste exténuante, voire légèrement humiliante. Que penserait de lui le jeune diplomate ? Passerait-il pour un fossile ?

Le standard du Quai d'Orsay, disponible jour et nuit, ne tarda pas à le mettre en communication. Jean-Baptiste répondit d'une voix vaguement ensommeillée.

– Jean-Baptiste, avez-vous chez vous un ordinateur connecté à Internet ?

– Oui, j'ai un portable. Pourquoi ?

Turpin se tortillait dans son canapé.

– J'ai besoin d'effectuer une recherche sur Internet. Mais je ne l'ai jamais fait, et je n'ai pas d'ordinateur chez moi. Pouvez-vous m'aider ?

Il crut entendre Jean-Baptiste chuchoter et quelqu'un lui répondre à voix basse. L'avait-il dérangé ? La voix du jeune homme revint, plus claire cette fois.

– Bien sûr René. Laissez-moi le rallumer… Voilà. Je viens d'ouvrir la page d'accueil de Google. Que souhaitez-vous que je cherche ?

Turpin, qui maîtrisait à grand-peine le concept de courrier électronique, n'avait pas la moindre idée de ce qu'était Google. Il susurra dans le combiné, comme s'il s'était agi d'un code secret.

– Une biographie complète de Chapour Bakhtiar.

– L'ancien responsable iranien ?

– Oui, lui-même. Épargnez-moi la période révolutionnaire. Ce qui m'intéresse, c'est son parcours à partir de son arrivée en France.

Jean-Baptiste se tut un moment, puis se mit à fredonner un air qui résonna à l'oreille de Turpin comme le souvenir lointain d'une mélodie d'Oum Kalthoum. Peut-être ne passerait-il pas pour un fossile, après tout…

– Voilà, René. J'ai sous les yeux une notice biographique selon laquelle Bakhtiar, après avoir gagné la France en 1979, a animé depuis Paris un réseau de dissidence appelé le Mouvement national de la résistance iranienne, dirigé contre le régime des mollahs. Il est sorti indemne d'une première tentative de meurtre en juillet 1980 à Neuilly-sur-Seine. Mais le destin l'a finalement rattrapé le 6 août 1991 à Suresnes, où il a été assassiné chez lui par un commando de trois hommes auquel il avait ouvert sa porte. Son secrétaire particulier, Sorouch Katibeh, a été tué également.

Turpin était impressionné. Il avait fallu moins d'une minute à son jeune collègue pour trouver ce qu'il aurait mis des heures, voire des jours, à dénicher.

– Autre chose ?

– Attendez… Je regarde… Voilà. Selon un article du *Parisien* publié en 2000, trente-six heures s'étaient écoulées avant que les deux corps ne soient retrouvés. Il mentionne aussi des condamnations à perpétuité prononcées en 1994 à l'encontre de deux Iraniens arrêtés peu après les faits. Et pointe implicitement, même si cela n'a jamais été prouvé, la responsabilité du régime iranien dans ce forfait. Ah, un autre article ! Une nécrologie cette fois, qui précise que Bakhtiar est enterré à Paris, au cimetière du Montparnasse. C'est près de chez vous, non, René ?

Turpin remercia Jean-Baptiste abruptement et raccrocha. Il se remémora les dates du premier séjour de Messand en Iran – de 1977 à 1980 – et en conclut que celui-ci s'était en effet trouvé à Téhéran quand Chapour Bakhtiar était Premier ministre. S'étaient-ils rencontrés à ce moment-là ? Ou plus tard, durant l'exil de Bakhtiar en France ? Il faudrait interroger Farvardine Messand à ce sujet. Turpin releva aussi l'ironie macabre des analogies entre les meurtres : dans les deux cas, les corps n'avaient été découverts que fort tardivement. Et comme Bakhtiar, Messand semblait avoir laissé entrer son assassin. Y avait-il une signification à ces ressemblances ? Il se promit d'appeler Alvarez dès le lendemain matin pour l'informer d'une possible connexion entre Messand et Bakhtiar.

*

La journée du samedi s'écoula selon la routine des samedis. Après avoir contacté Alvarez sur son portable, Turpin fit une expédition au supermarché discount pour remplir son congélateur de plats préparés. Il fit tourner une lessive et écouta du jazz jusqu'à ce que sa mère passe en coup de vent pour déposer Félix et une cargaison de croquettes. L'animal, après avoir reniflé chaque recoin de l'appartement, parut trouver le minuscule salon à son goût et élut domicile sur un coffre laotien dont il ne bougea plus.

Le dimanche, la chaleur revint. Un vent tiède et humide se mit à souffler sur la capitale, offrant aux Parisiens un répit incongru alors que le soleil se couchait déjà tôt. Turpin décida d'en profiter pour sortir Félix, qui se montra ivre de joie dès que sa laisse fut agitée sous son museau.

Descendant la rue des Plantes d'un bon pas, le chien en remorque, Turpin laissa une nouvelle fois ses pensées dériver vers Messand. Il s'étonnait que cette affaire, en quelques jours, fût parvenue à occuper si complètement son esprit. Était-ce la personnalité du diplomate assassiné qui exerçait sur lui une fascination grandissante ? Il songea à ce que lui avait révélé Élisabeth Janson-Smith. Une nouvelle facette de Messand lui était apparue, celle du haut fonctionnaire n'hésitant pas à faire cavalier seul. La position qu'il avait défendue sur l'Irak demandait du courage, voire une certaine témérité face à l'épaisseur des certitudes qu'avait professées le Quai d'Orsay tout au long de la crise. À en croire son adjointe, il n'avait pas flanché. Mais on avait fini, insensiblement, par le lui faire payer. La maison, Turpin le savait, ne pardonnait guère les écarts de doctrine, surtout lorsqu'ils mettaient à mal une ligne dans laquelle s'incarnait toute l'arrogance du pays. Il lui faudrait interroger Mazières à ce sujet. Le secrétaire général devait nourrir sa propre opinion quant à l'attitude de Messand. Turpin se promit d'aborder la question lors de leur rencontre hebdomadaire du lendemain.

Sans l'avoir prémédité, il se retrouva rue Froidevaux, face au long mur du cimetière. Tandis que Félix s'agitait près d'une poubelle, sa curiosité s'éveilla. Il entra et se fit remettre un plan du site, assorti de quelques indications orales données par un vieux gardien.

Il déambula longtemps parmi les hectares de tombes, passant devant le monument couvert de lierre de Baudelaire, s'étonnant de la simplicité granitique de la stèle de Sartre et Beauvoir. Le grand cimetière cuisait doucement sous le soleil. Dressée tel un totem sombre et luisant, la tour Montparnasse veillait sur la nécropole. Le bruit de la ville, bien qu'encore audible, lui parvenait comme assourdi par la foule pressée des caveaux et le silence des morts.

La tombe de Bakhtiar lui apparut enfin, presque anonyme entre deux sépultures de même aspect. *Chapour Bakhtiar, 1914-1991. Sorouch Katibeh, 1958-1991*, proclamait la stèle de marbre noir. Le Premier ministre en exil était donc enterré avec son fidèle secrétaire, assassiné le même jour que lui par les mêmes hommes.

La pierre tombale portait une inscription calligraphiée en persan. Sur la face antérieure du socle, une autre épitaphe citait deux vers de Paul Valéry, en lettres d'or. *L'âme exposée aux torches du solstice / Je te soutiens, admirable justice.* Fouillant sa mémoire de lycéen, Turpin reconnut un extrait du *Cimetière marin*. Tu es bien loin de la mer, mon vieux Chapour, songea Turpin en reprenant sombrement sa marche dans les allées de gravier blanc.

4

– Alors, Turpin, ça avance votre enquête ? Vous avez des choses à m'apprendre ?

Mazières avait son air impassible de vieux crocodile auquel on s'apprête à jeter une chèvre. Turpin lui fit un récit circonstancié des entretiens déjà conduits. Il évoqua le questionnement persistant quant au lieu où avait disparu Messand du 16 au 25 août, mentionnant au passage l'indication énigmatique d'un endroit froid. Il parla du vol de la montre ; de Chapour Bakhtiar et des lointaines similitudes entre les meurtres, à douze années de distance. Mazières restait sans réagir, le fixant d'un regard morne en tripotant sa bague. Mais ses yeux s'animèrent soudain lorsque Turpin évoqua la disparition du manuscrit.

– Tiens, c'est curieux. Il me l'avait fait lire, son texte. Ce devait être en 1990 ou 1991. L'année au cours de laquelle nous avons coïncidé à Paris. Il était encore au cabinet du ministre quand j'ai pris mes fonctions de conseiller diplomatique du président.

– Vous vous souvenez du contenu ?

– Assez vaguement. Une série de nouvelles plutôt tristes inspirées de ses séjours au Chili et en Iran. C'était subtil et émouvant, du reste. Du pur Messand. Mais je ne me rappelle rien de compromettant. Rien qui ait pu gêner quelqu'un, à mon humble avis. Est-on sûr que ces textes ont été dérobés le soir du meurtre ? Messand lui-même ne les aurait-il pas rangés ailleurs, ou détruits ?

– Mme Messand en a la certitude.

Mazières s'enferma de nouveau dans le silence. Turpin, pour la seconde fois, eut une pensée fugace relative au manuscrit qui lui échappa aussitôt.

– Monsieur le secrétaire général, Élisabeth Janson-Smith m'a parlé de la position singulière de Messand sur le dossier irakien, et de son isolement au sein du ministère. Vous confirmez ?

– Une belle femme, Janson-Smith, vous ne trouvez pas ? Élégante, racée. Et intelligente, par-dessus le marché.

– Certes…

– Il va falloir qu'on nomme un successeur à Messand, quelqu'un qui soit à sa hauteur. Cet imbécile de Buren convoite le poste, mais il n'arrive pas à la cheville de cette femme.

Turpin attendait patiemment. Une fenêtre ouverte du côté de la Seine laissait entrer l'écho joyeux des haut-parleurs sur les bateaux-mouches.

– Écoutez, Turpin, il ne faut rien exagérer. Dans l'affaire irakienne, Messand a joué son rôle, un point c'est tout. Il avait des doutes quant à la ligne choisie, il les a exprimés. Voilà. Pas de quoi en faire tout un fromage. D'ailleurs, c'est ce qu'on attendait de lui. C'est la raison pour laquelle il avait été nommé sur ce poste.

– Que voulez-vous dire ?

– En 2000, lorsqu'il a été nommé, ce qui intéressait le ministre, c'était son parcours atypique. Je suis certain que vous êtes désormais familier de la carrière de Messand : pas de grand poste, pas d'expérience immédiate des affaires stratégiques. À votre avis, comment a-t-il pu se retrouver à la tête de la direction politique ? C'est précisément parce qu'on a estimé en haut lieu qu'il fallait recourir à un esprit différent, connu pour sa façon originale de penser la diplomatie.

– C'était un bon choix, à votre avis ?

– Oui, assurément. Parce que Messand ne se coulait dans aucun moule. Il n'était jamais là où on l'attendait. Tenez, prenons par exemple le dossier du processus de paix au Proche-Orient. Messand, qui avait passé quatre ans à Jérusalem, défendait une position plutôt iconoclaste sur le sujet. Il considérait que les Israéliens, une fois le mur de sécurité construit, n'auraient plus le moindre intérêt à négocier un accord de paix ; qu'il était vain de s'échiner à les pousser en ce sens ; que la question palestinienne deviendrait peu à peu, à leurs yeux, un simple problème de banlieue. Vous constatez comme moi que les faits lui donnent raison.

– Qu'en disait la direction d'Afrique du Nord-Moyen-Orient ?

– Vous les connaissez. Vous fréquentez ces gens-là depuis deux ans. C'est un ramassis de nasséro-baathistes, des rêveurs qui ont campé à la belle étoile dans le Wadi Roum quand ils avaient vingt ans, et qui croient marcher dans les traces de Lawrence d'Arabie. Les vues de Messand les ont toujours hérissés. Vous pouvez compter sur eux pour lancer, année après année, de nouvelles initiatives de paix qui iront immanquablement se fracasser contre l'intransigeance israélienne et l'indifférence des Américains.

Turpin eut une pensée compatissante pour ses collègues du deuxième étage.

– Mais revenons à l'Irak. Est-il vrai qu'il s'était mis tout le monde à dos ?

– Je vous l'ai dit, n'exagérons rien. Il a défendu une ligne qui, sans déroger à notre positionnement global d'hostilité à cette guerre, suggérait une autre conduite. C'est tout. Il avait de bons arguments, en particulier s'agissant du rôle de l'Iran.

– L'Iran ? Quel rapport ?

– Élisabeth n'a pas mentionné cela ? Parmi les inquiétudes qu'il nourrissait, Messand faisait valoir que l'intervention américaine risquait de créer en Irak un vide dans lequel viendrait s'engouffrer la République islamique. Ça le souciait beaucoup, la perspective de voir les mollahs profiter du chaos et manipuler la communauté chiite. Et Dieu sait s'il les connaissait bien. Il redoutait, à terme, un basculement de l'Irak dans la sphère d'influence iranienne. C'est une des raisons pour lesquelles il militait en faveur d'une forte implication de l'ONU dès le départ. Laisser les Américains tout seuls sur le terrain lui paraissait une hérésie. Parce qu'ils ne connaissent rien à l'Iran. Et je crains, une fois encore, que l'avenir ne lui donne raison.

– Janson-Smith dit que vous êtes de ceux qui l'ont soutenu.

– C'est un bien grand mot. Mais j'ai veillé à ce qu'il soit écouté, oui. Son argumentaire tenait la route. Et je voulais qu'il joue son rôle de libre penseur. C'est pour cela qu'il avait été recruté, je vous l'ai dit.

Turpin prit un instant pour réfléchir. Trois coups retentirent à la porte et quelqu'un entra sans y être invité. Un homme d'une soixantaine d'années traversa le bureau silencieusement et remit à Mazières une grande enveloppe en papier kraft.

– Ah, Turpin, reprit Mazières, je vous présente Maurice Lechâtel, mon chiffreur attitré. C'est lui qui m'apporte en mains propres les collections de télégrammes et tous les papiers confidentiels qui me reviennent. Il a toute ma confiance. Gardez cela en mémoire, si je ne suis pas disponible et que vous avez besoin de me faire passer un document. Adressez-vous à lui.

Sans dire un mot, l'homme fit un léger signe de tête à Turpin et repartit aussitôt. Mazières ouvrit l'enveloppe et parcourut rapidement son contenu en poussant des soupirs excédés. Turpin attendit en silence, puis s'enhardit à reprendre la parole.

– Cette intuition de Messand quant au risque de voir l'Iran s'immiscer dans les affaires de l'Irak, ça s'est su hors du ministère ?

Mazières délaissa sa paperasse et le fixa d'un air impénétrable.

– Qu'avez-vous en tête, Turpin ? Vous pensez que les Iraniens auraient pu en avoir vent ?

– Je ne sais pas. Ça mérite peut-être d'être creusé, non ?

– Très franchement, j'ai du mal à le croire. La maison sait garder ses secrets, et je n'ai pas le souvenir que le raisonnement de Messand se soit retrouvé sur la place publique. Même au sein du ministère, ça ne s'est guère ébruité. La preuve, c'est que vous-même n'en saviez rien.

Mazières se cala au fond de son fauteuil, et Turpin reconnut sur son visage l'air un peu absent qu'il prenait, à Ankara, quand il était sur le point de se lancer dans un long développement inspiré.

– J'ai parfaitement conscience, René, que je vous ai confié une tâche ardue. Même mort, Messand reste un personnage difficile à cerner. Comment vous dire. Il était à la fois le diplomate que chacun voudrait être, et celui que l'Administration vous défend de devenir. À l'étranger, c'était une éponge. Il s'imprégnait totalement des réalités locales, se faisait des centaines d'amis, et s'efforçait de sentir les choses. Il vivait dans sa chair ce qu'il lui était donné d'observer. Mais il se montrait également capable, de retour à Paris, d'analyses froides et lucides, dépourvues du moindre pathos. C'est cette dualité qui le rendait si intéressant.

– Je vois. Mais sur l'Irak, on n'a pas voulu l'écouter.

Turpin se souvint du mépris qu'avait professé Buren à l'endroit du défunt. Comme s'il avait lu dans ses pensées, Mazières reprit :

– Si, on l'a écouté, sans vraiment l'entendre. Mais ce que j'essaie de vous dire, c'est que les diplomates de son espèce sont nécessaires, même s'ils ne correspondent pas au modèle que l'Administration préfère encourager. Ne vous laissez pas abuser par des abrutis comme Buren, qui n'ont jamais vu un bidonville de leur vie et ne savent pas ce que c'est qu'une coupure d'eau. Il nous faut des Messand. Et qu'il ait milité pour une ligne différente de celle retenue n'en fait ni un traître, ni un rebelle, ni un marginal. Il était dans son rôle, je vous le répète.

*

En fin d'après-midi, Alvarez et Turpin demandèrent à revoir Farvardine Messand afin de tirer au clair les liens du défunt avec Chapour Bakhtiar. Rentrée le matin même d'Aix-en-Provence, elle leur donna rendez-vous dans un café de la rue Saint-Dominique où, attablés en terrasse, ils purent profiter du soleil. Le visage mangé par de larges lunettes noires, la Persane affichait une froideur courtoise mais opiniâtre qui, comme la première fois, déconcerta Turpin. Quelles pensées habitent désormais cette femme ? se demanda-t-il alors qu'elle semblait mettre un soin méticuleux à répondre à leurs questions.

– Bien sûr qu'ils se connaissaient, indiqua-t-elle d'emblée. Ils étaient même assez proches. Leur amitié datait du premier séjour de Pierre en Iran.

– Quand Bakhtiar est devenu Premier ministre ? demanda Turpin.

– Non, ils s'étaient rencontrés bien avant cela. Vous savez peut-être que Pierre était chargé de la politique intérieure à l'ambassade. Il était donc conduit à fréquenter toutes sortes de gens, au gouvernement comme dans l'opposition. Son arrivée à Téhéran, à l'automne 1977, a coïncidé avec le moment où Chapour Bakhtiar et d'autres militants s'employaient à faire renaître le Front national.

– Le Front national ! s'exclama Alvarez.

Farvardine Messand laissa échapper un sourire indulgent.

– Pas le vôtre. Le Front national d'Iran, Jebhe Melli. La coalition nationaliste, démocratique et anti-impériale qu'avait fondée Mossadegh à la fin des années 1940. Pierre s'était d'abord lié d'amitié avec Daryouch Forouhar, un militant proche de Bakhtiar. Ils n'avaient qu'une quinzaine d'années d'écart. C'est Daryouch qui l'a présenté ensuite à Bakhtiar.

– Ils se voyaient souvent ?

– Le hasard a voulu que Pierre s'installe dans la même rue que Bakhtiar, la rue Sonbol, dans un quartier tranquille au nord de Téhéran où résident de nombreux diplomates. C'est un quartier proche des montagnes, et Pierre, comme Chapour Bakhtiar, était épris de randonnée. Très vite, il a fait partie du groupe d'amis que Bakhtiar guidait tous les vendredis sur les pentes du Tochal. C'était devenu une sorte de rituel, à la fois politique et sportif. Mon père s'y joignait aussi, de temps en temps. C'est comme ça que nous avons fini par nous rencontrer, Pierre et moi.

Elle se pencha sur son verre et but une gorgée de gin-tonic en observant un couple de moineaux qui sautillait entre les tables. Turpin revint à la charge :

– Ils sont restés liés quand Bakhtiar est devenu Premier ministre ? Et plus tard, quand il s'est réfugié en France ?

– Vous savez, quand le chah a appelé Bakhtiar pour diriger le gouvernement, c'était déjà la débandade. Une grande confusion régnait dans tout l'Iran. Et il n'est resté au pouvoir que quelques semaines. Ce que j'ignore, c'est si Pierre l'a aidé à fuir. Vous savez peut-être que Bakhtiar s'est enfui déguisé en steward sur un vol Air France, ce qui est tout de même assez cocasse. Pierre n'a jamais voulu me dire s'il avait joué un rôle dans cet épisode. Après, je crois qu'ils se sont un peu perdus de vue. En 1980 nous sommes partis pour Brasília, où nous avons séjourné quatre ans.

– Ils ont repris contact après votre retour à Paris, en 1984 ?

– Oui, mais pas de façon très suivie. Étant assujetti au devoir de réserve, Pierre ne pouvait se permettre de s'afficher trop ouvertement avec la dissidence iranienne. Et puis je me souviens qu'il était vaguement déçu par Bakhtiar.

– Ah bon ? À quel égard ?

– Bakhtiar animait son mouvement de résistance, le MNRI. Il avait besoin de fonds. On était en pleine guerre Iran-Irak et il se faisait financer par Saddam Hussein. Il avait même fait installer à Bagdad l'émetteur de Radio-Iran, la fréquence de son mouvement. Pierre trouvait cela un peu dégoûtant. Leurs rencontres se sont espacées.

Turpin décida d'en venir à l'assassinat de Bakhtiar.

– Il semble que votre mari ait été très affecté par sa mort. Vous vous souvenez de ce moment-là ?

– Bien entendu. Parce qu'il l'estimait malgré tout. Ils étaient liés par une amitié de près de quinze ans. Et puis Pierre se sentait responsable. En tant que numéro deux du cabinet, il supervisait les questions de sécurité. C'était lui qui assurait la liaison avec la préfecture de police pour assurer la protection des personnalités étrangères exposées, autrement dit la sécurité de la foule de dissidents, de monarques et d'anciens responsables réfugiés en France. J'ai essayé de lui faire admettre qu'il n'y était pour rien. Que le régime iranien voulait la peau de Bakhtiar coûte que coûte, et qu'il y serait parvenu d'une façon ou d'une autre. Du reste, ça ne s'est pas arrêté là…

– Que voulez-vous dire ?

Elle vida son verre et prit une profonde inspiration.

– Daryouch Forouhar, lui aussi, a été tué. Ça s'est produit lors de notre deuxième séjour en Iran. Pierre avait eu beaucoup de plaisir à reprendre contact avec lui, ils se voyaient fréquemment. Daryouch a été sauvagement poignardé chez lui en novembre 1998, de même que sa femme, Parvaneh. C'est étrange, quand on y songe. Du petit groupe des randonneurs du Tochal, il ne reste presque plus personne. Même Pierre a été tué.

Elle sembla s'affaisser sur sa chaise. Turpin sentit que tout le poids des obsèques, qui s'étaient déroulées la veille, retombait sur ses épaules. Une question lui vint alors qu'il songeait aux funérailles de Messand.

– Votre mari était-il croyant ?

– Pierre ? Pourquoi me demandez-vous cela ?

– Comme ça, par curiosité.

– Il était né dans une famille protestante assez pratiquante. Les Messand sont des huguenots du pays d'Uzès. Mais lui-même se définissait comme agnostique. Il ne s'intéressait aux religions que sous leur aspect philosophique. Le plus drôle, dans notre histoire, c'est qu'il a été contraint de se convertir à l'islam.

– Comment cela ? Pierre Messand était musulman ? s'écria de nouveau Alvarez.

– Sur le papier, oui, répondit-elle en souriant. Même à l'époque du chah, un chrétien qui voulait épouser une musulmane était tenu de se convertir. Mais c'était une formalité, qui s'accomplissait à la va-vite juste avant le mariage. La veille de la cérémonie, il a récité la *chahada* devant un mollah, et voilà, ça s'est fait en un tour de main.

– C'est à l'islam chiite qu'il s'était converti ?

– Techniquement, oui, puisque je suis moi-même chiite, et qu'il a effectué sa conversion en Iran. Mais je vous le répète, Pierre était agnostique. Il s'est bien sûr intéressé au chiisme, qu'il a sérieusement étudié, mais seulement sous un angle métaphysique.

*

De retour au ministère, vers 20 heures, Turpin s'attendait à ce que tous ses collègues aient déjà déserté. Il eut une nouvelle fois, fugacement, la sensation d'être suivi. Il se retourna, scruta le fond du couloir et ne vit personne. Se pouvait-il qu'on l'eût pris en filature à l'intérieur même du ministère ? Reprenant son chemin en balayant ces pensées, il discerna, dans la pénombre du deuxième étage, une secrétaire penchée dans une pose de prêtresse affolée devant l'antre mugissant des tubes pneumatiques. Il se demanda, avec une pointe de malice, ce que penserait le jeune Bruxel de ce système antique de communications qui faisait encore résonner les murs du ministère d'étranges vibrations plaintives. Puis il vit de la lumière sous la porte du bureau Iran et éprouva l'envie d'aller faire un brin de causette avec son titulaire. Nouveau dans la direction, Renaud Garcillac était rentré depuis peu d'un séjour de trois ans à Téhéran. Il pianotait fiévreusement sur son clavier quand son collègue entra.

– Le ministre a décidé de faire un voyage éclair en Iran juste avant l'Assemblée générale, dit-il en levant des yeux désespérés vers Turpin. Je crois que je vais m'y coller toute la nuit. Le cabinet demande la mise à jour de toutes les notes pour demain midi. Et des éléments de langage « inventifs ». C'est quoi, des éléments de langage inventifs ? Tu peux me le dire ?

Turpin gloussa.

– Viens prendre un café avec moi, suggéra-t-il. Tu vas en avoir besoin.

Ils descendirent au sous-sol et s'affalèrent sur une banquette, leurs gobelets en plastique à la main. La cafétéria était plongée dans la pénombre et Turpin crut percevoir les couinements d'une souris derrière un radiateur.

– Dis-moi, Garcillac, tu as coïncidé avec Messand à Téhéran ?

– Non, il était déjà parti quand j'y ai pris mes fonctions.

Question idiote, se dit Turpin. Garcillac ne figurait pas sur la liste produite par les Ressources humaines.

– Mais tu dois savoir quel souvenir il avait laissé derrière lui. On a dû t'en parler.

– Je n'ai entendu que des éloges le concernant. Le personnel local l'adulait. L'équipe de la chancellerie aussi.

– Et les Iraniens ?

– Je crois que la société civile l'aimait beaucoup. Pour ce qui est des autorités, c'est plus difficile à dire. Je ne suis pas sûr qu'elles soient enclines à aimer qui que ce soit. À part Dieu. À leurs yeux, un diplomate étranger est toujours suspect. Surtout quand, comme Messand, il parle couramment persan et connaît le pays comme sa poche. L'espionite est une maladie très répandue dans les cercles du pouvoir. Mais je crois que le régime le respectait, dans une certaine mesure.

Encore une fois, les mots de Mme Messand. *Je ne sais pas si les mollahs l'appréciaient, mais ils le respectaient.*

– Je peux savoir pourquoi tu me demandes ça ?

Turpin débattit un bref instant et se résolut à cracher le morceau. Il sentit instinctivement qu'il pouvait faire confiance à Garcillac. Et celui-ci était à même de lui fournir un écho du dernier séjour de Messand à Téhéran. Garcillac, au demeurant, ne parut guère étonné, comme si ses trois années en Iran l'avaient accoutumé aux méthodes des services de renseignement.

– La DST privilégie la piste iranienne ?

La question résonna dans la semi-obscurité comme une affirmation. Turpin, cette fois, s'abstint de répondre.

– Tu savais qu'il était proche de Chapour Bakhtiar ? insista Garcillac.

– Comment tu sais ça, toi ?

– En Iran tout le monde le sait, ce n'est un secret pour personne.

– Tu penses qu'il peut y avoir un lien entre les meurtres ? avança prudemment Turpin.

Garcillac fit une moue dubitative.

– Un lien, je ne sais pas. Ça me paraît difficile à prouver. Et puis les Iraniens ont tué tant de gens à l'étranger depuis la révolution. Mais il y a une chose qui m'a toujours fasciné concernant Bakhtiar. C'est l'acharnement avec lequel ils l'ont poursuivi. Ils l'ont manqué de peu en 1980. Mais ils n'ont pas lâché l'affaire. Ce que je trouve étonnant, c'est qu'en 1991, quand ils ont fini par l'avoir, il ne représentait plus grand-chose. Son mouvement périclitait, et son principal soutien financier, Saddam, était au ban des nations. Mais il était toujours sur leur liste. Plus de vingt ans après le départ du chah ! Ça veut dire qu'ils n'oublient rien.

Les paroles inquiétantes de Garcillac emplirent d'un écho lugubre le sous-sol désert et Turpin frissonna. Se pouvait-il qu'une rancune vieille de plusieurs décennies ait ainsi poursuivi Messand ?

– Dis-moi, Garcillac, répéta-t-il comme une incantation, tu sais si Messand s'intéressait de près au chiisme ? S'il fréquentait des mollahs, des ayatollahs ?

– Des mollahs, je ne sais pas. Mais à Téhéran il avait pour ami un vieux philosophe iranien, Cyrus Ebrahimi, très versé dans l'étude des religions, des gnoses, de toutes les formes d'ésotérisme. Il écrit en français et publie en France. Messand allait chez lui fumer l'opium de temps en temps. Je le sais parce que Cyrus est également devenu mon ami, après le séjour de Messand.

– Tu fumais l'opium avec lui, toi aussi ? demanda Turpin avec un sourire narquois.

– Ça m'est arrivé, admit Garcillac en haussant les épaules. Mais Cyrus m'a surtout initié à l'islam iranien. Je viens, du reste, d'écrire la préface à son dernier ouvrage. J'ai soumis le texte au Département il y a plus d'un mois. J'attends toujours l'autorisation de publier. Ils savent prendre leur temps, ceux-là.

Le sang de Turpin ne fit qu'un tour. Comment n'y avait-il pas pensé plus tôt ? La phrase de Farvardine

Messand qu'il ne retrouvait plus lui revint subitement en mémoire. *Il a été tout près de publier*. Y avait-il une chance que… ? Il prit congé de Garcillac en s'excusant et remonta dans son bureau quatre à quatre.

*

Le standard du Quai d'Orsay se montra ce soir-là incapable de joindre Mariotti. Personne ne répondait à son domicile et son portable était déconnecté. Turpin rentra chez lui vers 22 heures et trouva Félix couché derrière la porte. L'animal le fixait droit dans les yeux comme sa mauvaise conscience. Pris de pitié, il l'emmena faire une promenade. La nuit restait chaude et, cheminant par les rues sombres, il s'efforça en vain de se détendre. Ses pensées revenaient sans cesse à l'enquête. Bakhtiar. Forouhar. Messand. Y avait-il une logique dissimulée derrière cette série sanglante ? Une malédiction occulte poursuivait-elle les randonneurs du Tochal ?

Il dormit mal et fit un rêve inepte, dans lequel Garcillac et lui-même se voyaient confier pour un soir la gestion d'une agence de location de voitures. Ils en profitaient pour appeler tous leurs copains et leur prêter gratuitement des véhicules. Mais au matin le parking était vide. Personne n'avait rendu les voitures.

Il se réveilla de mauvaise humeur et se sentait déjà fatigué lorsqu'il arriva au ministère. Mariotti, pris par des réunions de concertation budgétaire à Bercy, demeura injoignable toute la matinée. On lui promit qu'il rappellerait dès qu'il serait disponible.

Alvarez téléphona vers midi. Sa voix trahissait une excitation palpable.

– René, vous êtes libre à 16 heures ? J'aimerais vous faire rencontrer quelqu'un.

– Oui, va pour 16 heures. Qui donc ?

– Je ne peux pas vous en dire davantage au téléphone. Disons que j'ai creusé un peu la piste Bakhtiar, et j'ai déterré quelque chose. Ou quelqu'un, si j'ose dire. Retrouvez-moi dans la brasserie où nous nous sommes rencontrés mercredi dernier.

Turpin n'eut pas le temps de s'appesantir sur les propos sibyllins d'Alvarez. On l'attendait dans une réunion de préparation de l'Assemblée générale, où il donna l'avis de sa direction sur un projet de résolution du groupe arabe dénonçant l'occupation du Golan par Israël. On s'orientait, sans surprise, vers une abstention.

Mariotti finit par le rappeler après le déjeuner. Turpin frémissait d'impatience et alla droit au but.

– Monsieur le directeur, c'est bien vous qui avez la tutelle sur les autorisations de publier ?

– Exact. Elles sont traitées chez moi, par le Bureau des affaires juridiques et contentieuses.

– Savez-vous si les manuscrits soumis par les agents sont conservés ?

– Je n'en suis pas certain, mais j'imagine que oui. Pourquoi ? C'est encore à propos de Messand ?

– Effectivement. Nous essayons de remettre la main sur un manuscrit qu'il a écrit il y a presque vingt ans. Mme Messand nous dit qu'il a songé à le publier, avant de se raviser. Je me demandais... Peut-être avait-il accompli la démarche et déposé son texte... Pourriez-vous vérifier ?

Il y eut un long silence. Turpin croisa les doigts en priant que La Nouille ne fasse pas sa dure à cuire.

– Vous avez une date de dépôt ? reprit enfin Mariotti.

– Non, pas de date précise. Mais s'il a soumis son texte, ce devait être entre 1984 et 1991. La période qui correspond à son passage au Centre d'analyse et de prévision puis au cabinet.

– Très bien. Je vais lancer une recherche. Si on trouve quelque chose dans les archives, on fait une copie et je vous l'envoie. Mais ça risque de prendre un peu de temps.

*

Turpin était intrigué lorsqu'il rejoignit Alvarez à la terrasse de *La Gitane* sur le boulevard de Grenelle. L'enquêteur était attablé avec un inconnu d'une quarantaine d'années aux traits vaguement moyen-orientaux.

– René, je vous présente Philippe Amini, de la Brigade criminelle.

Amini poursuivit lui-même les présentations. Il avait, en août 1991, intégré la section antiterroriste à la demande du juge Bruguière pour se joindre à l'enquête sur le meurtre de Chapour Bakhtiar. De mère française et de père iranien, il parlait couramment le persan, ce qui l'avait naturellement désigné pour traiter avec l'entourage de la victime et participer, plus tard, aux interrogatoires des prévenus.

– Il se trouve aussi que j'étais proche de son fils, poursuivit-il. Comme moi, Guy Bakhtiar avait une mère française. Il était inspecteur principal aux Renseignements généraux, mais c'était lui qui s'occupait personnellement de la sécurité de son père, avec l'accord de sa hiérarchie.

– On ne peut pas dire qu'il ait fait du bon travail, risqua Turpin.

– Justement, il a été au centre d'une controverse après le meurtre. Guy Bakhtiar a publiquement accusé les CRS qui protégeaient son père de négligence. Mais il portait sa part de responsabilité, en tant que concepteur du dispositif de protection.

– Qu'est-ce qui n'a pas fonctionné dans ce dispositif ? Où se trouvait la faille ?

– Les trois meurtriers étaient attendus ce jour-là par Bakhtiar. Les CRS avaient leurs noms, tout semblait normal et routinier. L'un d'entre eux était un familier de Bakhtiar, une taupe infiltrée dans son mouvement depuis des années. Une fois les deux meurtres commis, ils sont repartis comme si de rien n'était, en récupérant leurs passeports auprès des policiers. La raison pour laquelle les corps n'ont été découverts que trente-six heures plus tard, c'est que Guy Bakhtiar avait interdit les rondes autour de la maison. Les pas des policiers sur le gravier dérangeaient son père… Il refusait aussi la présence de gardes du corps à l'intérieur.

Alvarez leva les yeux au ciel. *Tout semblait normal et routinier*, se répéta Turpin intérieurement. Messand, lui aussi, avait ouvert sa porte à son assassin. Quelqu'un qu'il connaissait ? Quelqu'un en qui il avait confiance ? Ou bien quelqu'un qui se présentait fréquemment à son domicile ?

– Vous avez creusé, à l'époque, le mobile du meurtre ? reprit Turpin. On m'a raconté que le MNRI était en perte de vitesse en 1991 ; que Bakhtiar ne représentait plus de réel danger pour le régime iranien. Vous en pensez quoi ?

Amini but une lampée de bière et s'essuya la bouche du revers de la main avant de répondre.

– Téhéran n'était pas en manque de motifs pour l'assassiner. En juillet 1980, Chapour Bakhtiar avait dirigé depuis la France une tentative de coup d'État qui impliquait des jeunes pilotes de chasse restés loyaux à l'ancien régime. Le complot fut éventé, les pilotes tous exécutés. La première tentative d'assassinat, conduite par Anis Naccache à Neuilly, s'est produite exactement dix jours après cette affaire. Ensuite, tout au long de la guerre Iran-Irak, on trouve la collusion très étroite entre Bakhtiar et Saddam Hussein…

– … qui a fait de Bakhtiar un traître, admit Turpin.

– Et puis les meurtres n'ont ni commencé ni cessé avec celui de Bakhtiar, continua Amini : Cyrus Elahi, responsable du mouvement monarchiste, tué par balles à Paris en octobre 1990 ; Reza Mazlouman, ancien ministre du chah, assassiné également à Paris en mai 1996. La liste est longue. D'autres opposants ont été tués à Rome, Berlin, Istanbul. Et j'en passe.

– Mais revenons aux circonstances du meurtre de Bakhtiar, intervint Alvarez, dont les yeux brillaient d'un éclat fiévreux. Tu veux bien les décrire à Turpin, en détail, comme tu l'as fait avec moi ?

– C'est très simple. Une exécution froide et précise. L'un des trois hommes a rejoint Sorouch Katibeh, qui fumait une cigarette à l'arrière de la maison, pour l'occuper et le surveiller. Pendant ce temps, l'un des tueurs a asséné, du tranchant de la main, un coup d'une violence effroyable sur la gorge de Chapour Bakhtiar, qui est mort instantanément. La mise à mort de Katibeh a été moins propre, car il s'est débattu… Puis les trois hommes se sont livrés à un véritable carnage sur le cadavre de Bakhtiar. Ils l'ont littéralement saigné, à l'aide d'un couteau de cuisine et d'une scie à pain, lui poignardant le torse, la gorge, et lui tailladant les poignets. Tout ça, c'était bien sûr de la mise en scène. Pour impressionner la foule des opposants en exil. Ils sont repartis en emportant sa montre, une Rolex en or qu'on n'a jamais retrouvée.

*

De retour au Quai d'Orsay, Turpin chercha désespérément à s'entretenir avec Mazières. En vain. On lui expliqua que le secrétaire général était parti à Berne pour des consultations franco-helvétiques. Il ne serait de retour à Paris que le lendemain en début d'après-midi.

Turpin résolut de s'atteler à l'élaboration d'un rapport écrit. Il y compila tout ce qu'Alvarez et lui-même avaient collecté depuis une semaine, en faisant apparaître le faisceau de présomptions conduisant à la piste iranienne : les similitudes troublantes entre les meurtres de Bakhtiar et du directeur politique – *modus operandi*, vol de la montre –, les amitiés anciennes de Messand avec des dissidents, sa conversion à l'islam…

Restait la question du mobile : sa proximité avec des figures de l'opposition iranienne suffisait-elle à l'assimiler à la cohorte des victimes tuées dans leur exil ?

Restait aussi, entière, l'énigme relative à la disparition de Messand du 16 au 25 août : depuis quels frimas avait-il téléphoné à son adjointe ?

Turpin consigna également ces questionnements. Il imprima son texte, le glissa dans une enveloppe au nom de Mazières, et monta au troisième étage porter son pli à Maurice Lechâtel. Il découvrit le vieux chiffreur au fond d'un cagibi attenant au bureau du secrétaire général. Lechâtel lui promit que l'enveloppe serait remise à son destinataire le lendemain, dès son retour au ministère.

Puis il rentra chez lui. Après avoir nourri et sorti Félix, il réchauffa un plat de nouilles chinoises et s'affala devant la télévision. Tout en mangeant, il tomba sur un jeu cathodique qu'il n'avait encore jamais vu. Une grosse femme à l'air patibulaire, portant capuche, interrogeait tour à tour des candidats en les invectivant. Après chaque bordée de questions, les joueurs se dénonçaient les uns les autres et l'un d'eux était éliminé.

Turpin suivit d'un œil ce divertissement darwinien tout en songeant à Messand. Il se sentait oppressé par la litanie des meurtres que l'enquête lui avait révélée. Il se demanda s'il aurait la force de continuer.

– *Avec le Cancer, quel autre signe du zodiaque commence par un C ?* demanda la grosse à capuche.

– *Le Sagittaire*, répondit une jeune fille brune avec aplomb.

Les premiers jours, la mission confiée par Mazières l'avait à la fois fasciné et diverti. Il avait aimé décortiquer la vie du diplomate défunt. Il s'était plu à retourner une à une les pierres qu'avait foulées Messand, découvrant des zones d'ombre mais aussi la trajectoire solaire de cet homme complexe et tourmenté, épris de son métier, admiré par les uns et méprisé par les autres. Que lui révélerait le manuscrit volé, si l'équipe de Mariotti parvenait à remettre la main dessus ? Il s'aperçut qu'il avait oublié, dans son rapport à Mazières, de mentionner cette perspective. Peu importe, se dit-il. Il sera toujours temps de lui en parler plus tard.

– *Quel nom de fleur est aussi le prénom des écrivains Duras et Yourcenar ?*

– *Violette !* dit un monsieur barbu.

Il sentit que le sommeil le gagnait… À quoi s'était-il attendu quand Mazières l'avait convoqué une semaine plus tôt ? L'enquête prenait un tour macabre qu'il aurait dû prévoir. Le rôle de simple assistant qu'on lui avait assigné l'exposait progressivement à des horreurs auxquelles sa carrière heureuse et paresseuse ne l'avait pas préparé.

L'animatrice vociférait maintenant face à un type qui avait la même tête qu'Amini.

– *Comment l'ancien Premier ministre iranien Chapour Bakhtiar a-t-il été tué ?* hurlait-elle.

– *Il a été étranglé puis poignardé*, répondait Amini sans ciller.

– *Bonne réponse !*

Turpin s'éveilla en sursaut, la télécommande à la main, le plat de nouilles froides encore sur ses genoux. Félix ronflait sur son coffre. À l'écran, le divertissement avait cédé la place à une émission politique dont les participants s'invectivaient avec une violence qui n'avait rien d'un jeu.

5

Au cadastre du cœur, Jean-Baptiste Bruxel avait longtemps cru jouir d'une concession perpétuelle. Pas plus tard que la veille, dans cet établissement de bains de la rue des Bons-Enfants qu'il fréquentait assidûment depuis son entrée au Quai, il s'était persuadé que son charme agissait toujours. Sorti tout en armes tel un dieu celte des brumes soufrées du hammam, il avait soumis, sans faiblir, deux jeunes danseurs du Bolchoï à l'imagination chorégraphique débordante. Ses années d'études à Londres avaient accoutumé le petit provincial à l'anonymat d'une grande ville et aux partages d'un soir. Il en maîtrisait les codes et n'en attendait pas davantage que ce qu'ils offrent : l'excitation de la chasse, la brève incandescence, l'assouvissement sans remords.

Mais séduire au Quai d'Orsay était une autre affaire. Les homosexuels avaient beau y abonder, la chasse semblait s'y dérouler sur un mode plus feutré, plus sournois que dans son vieil univers de salles d'étude, de stades et de sous-sols mal éclairés. Certains, bien sûr, affichaient la couleur sans retenue. Mais ceux-là n'attiraient pas Jean-Baptiste, épris qu'il était de véneries plus ardues, plus pimentées. C'étaient les dissimulés, les occultes, les camouflés qui lui plaisaient. Les premiers jours il braconna sans succès le long des pièces du rez-de-chaussée où font relâche, entre deux sorties, les gardes du corps du ministre. Puis, lorsque presque une semaine se fut écoulée, un grand garçon brun aux yeux timides attira son regard dans la cohue du réfectoire. Qu'il portât une alliance ne refroidit pas Jean-Baptiste, dont le désir s'accrut d'autant. Renseignement pris, l'objet de son intérêt s'appelait Adrien Durrieu. Sorti de l'ENA deux ans auparavant, il avait été aussitôt happé par l'inspecteur général qui en avait fait son chargé de mission. Eu égard à l'omnipotence de l'Inspection, autant dire que le bel Adrien était assis à la droite de Dieu. Jean-Baptiste se demanda par quel chemin il approcherait sa proie.

L'arrivée d'un Turpin bougon et empestant le tabac le tira de sa rêverie matinale. Pour Bruxel, aux yeux duquel tout avait encore l'éclat du neuf, son collègue restait le plus grand des mystères. Comment la carrière dont il avait tant rêvé pouvait-elle produire des êtres aussi cabossés ? Turpin l'intimidait, certes, par sa culture, sa connaissance encyclopédique des usages et des rites. Il l'effrayait un peu, aussi, par ses emportements et ses moments d'abattement ; ses petits secrets, sa manie de téléphoner à voix basse en tournant le dos. Mais ce qui l'étonnait le plus, c'était son ironie mordante, ses sarcasmes incessants, l'impression qu'il donnait de ne plus croire en rien et de se rire de tout. Deviendrai-je comme lui ? Qui serai-je dans vingt ans ? se demandait-il avec inquiétude. Une vieille folle abîmée par de trop longs séjours tropicaux ? Un technocrate lubrique et plein d'aigreur ?

Et puis, que signifiait l'appel nocturne dont son collègue l'avait gratifié vendredi soir ? Pourquoi cet intérêt soudain pour Chapour Bakhtiar ? Même mal définies, les activités officielles de Turpin n'englobaient guère d'aspect politique ayant trait à l'Iran. Que pouvait-il bien tramer en secret ? Jean-Baptiste avait été sur le point, vendredi soir, de le lui demander mais l'autre ne lui en avait pas laissé le temps. Comme un ours mal léché, il lui avait presque raccroché au nez une fois obtenues les informations requises.

Tout à son ressentiment, il fut surpris de voir se peindre un grand sourire sur le visage de Turpin, lequel venait de poser les yeux sur une épaisse enveloppe apportée un peu plus tôt par un huissier.

*

Ayant reconnu le timbre du Bureau des affaires juridiques et contentieuses, il se hâta d'ouvrir le pli. Il trouva sous un bordereau à son nom une liasse de cent dix-sept pages que ne précédait aucun titre. Messand avait-il soumis un travail inachevé ? Était-ce la même version que celle qui avait été dérobée le 29 août ? Il vérifia la date de dépôt : 14 décembre 1988. Soit peu après l'entrée au cabinet. Mazières disait avoir lu le manuscrit en 1990 ou 1991. Se pouvait-il que Messand l'ait amendé, retravaillé par la suite ?

Il délaissa ces questions. La liasse comprenait un poème faisant figure d'exergue et trois nouvelles. Il lut d'abord celles-ci, ce qui lui prit moins de deux heures. La première histoire se passait au Chili après le coup d'État de septembre 1973. Elle décrivait l'errance d'un jeune couple de militants communistes poursuivi par la junte. La jeune fille était résolue à fuir à l'étranger, comme tant d'autres Chiliens. Mais son compagnon se montrait déchiré entre le désir de la suivre et sa loyauté envers son père malade. À la fin de l'histoire, par peur de la voir partir à jamais, il la dénonçait aux autorités.

Elle disparaissait dans la foule des captifs retenus au stade national.

Les deux autres nouvelles étaient situées en Iran. L'un des textes racontait, à la première personne, l'histoire sordide d'un professeur d'université soumis à un chantage de la police du chah ; menacé d'une interruption du traitement médical coûteux dont bénéficiait sa fille, atteinte d'une leucémie, il se voyait contraint d'espionner ses collègues.

Le troisième texte, plus complexe et plus long que les deux autres, illustrait une sorte de scène de genre en République islamique. Un riche commerçant du bazar, très pieux mais aussi très épris de sa femme, se voyait poussé fermement par les autorités à prendre contre son gré une deuxième épouse ; l'affaire se compliquait quand les deux femmes, d'abord ennemies, finissaient par se liguer contre lui pour lui voler son bien.

Les trois textes étaient écrits dans une prose alerte, concise et élégante, et Messand avait soigné les portraits psychologiques de ses personnages. Sa femme avait bien résumé l'esprit de son travail. *Ce qui le fascinait, c'était moins la machine dictatoriale en elle-même que l'effet qu'elle produit sur les gens*, avait-elle dit. *Comment une tyrannie transforme les individus dans leur façon d'être, de vivre, d'aimer. Comment elle peut conduire des personnes ordinaires à devenir, malgré elles, les instruments de l'oppression qu'elles subissent.*

Mais Mazières avait raison. Il n'y avait, à première vue, rien de compromettant dans ces trois nouvelles. Rien qui ait pu embarrasser le Quai d'Orsay. Messand avait même eu la délicatesse de ne pas stigmatiser, en Iran, une période aux dépens d'une autre : aux contraintes de l'ordre islamique répondaient les violences policières de l'ère impériale.

Il n'y avait rien, non plus, qui ait pu désigner une piste à suivre dans l'enquête sur le meurtre de Messand. Pourquoi le manuscrit avait-il été volé ? Recelait-il un sens caché ? Se pouvait-il que l'un des tortionnaires de circonstance décrits par Messand soit revenu le hanter ?

Turpin reprit le manuscrit au début et lut le poème.

Ils arrivent
Les chiens de la plaine
On les entend monter
Charriant ta peine
Et mon chagrin
Ils rôdent
Les chiens au pelage vert
À la lisière de nos rêves
Ils courent
Vers la montagne rousse
Aboyant
Le printemps de ton nom
Ils mordent
La chair que j'ai aimée
La peau
Qu'avant eux j'ai mordue
Ils t'emportent
Dans le vent
Dans le noir
Là où tu as peur
Là où bientôt
Tu n'auras plus peur.

Que signifiait ce texte ? Qui étaient les chiens de la plaine ? *Les chiens au pelage vert*... Le vert. La couleur de l'islam. Une allégorie des hordes islamistes qui avaient déferlé à l'assaut des pentes de Téhéran ? Mais qui avait bien pu lire ce poème hors du ministère ?

Turpin eut une vague intuition et passa un coup de fil à Garcillac, qui le renseigna promptement. La célèbre fatwa de mort contre Salman Rushdie avait été prononcée par l'imam Khomeiny le 14 février 1989. Soit deux mois jour pour jour après le dépôt de son texte par Messand. Avait-il pris peur ? Le vent de terreur islamiste qui soufflait alors sur l'Occident l'avait-il conduit, par précaution, à remiser un texte assimilable à une critique de la révolution iranienne ?

Mazières n'allait pas tarder à rentrer. En partant déjeuner, il s'arrêta devant le bureau de Garcillac et passa une tête. Le pauvre rédacteur imprimait à la chaîne des microfiches d'éléments de langage et paraissait exténué.

– Ça va Garcillac ? Tu tiens le coup ?

– Je suis en retard. Mais je me suis efforcé d'être inventif. Voyons maintenant ce qu'en pense le cabinet, grinça Garcillac.

– Dis-moi, toi qui parles persan, une autre petite question en passant. Farvardine, ça peut avoir un sens autre que celui d'un prénom ?

– Absolument mon vieux ! Tu sais peut-être que les Iraniens utilisent un calendrier solaire antérieur à l'islam, qui commence à l'équinoxe de printemps, le 21 mars. Farvardine, c'est le premier mois de l'année persane. C'est donc le début du printemps.

Un poème à sa femme, songea Turpin. *Le printemps de ton nom*.

*

Les choses commencèrent à s'accélérer dans l'après-midi. Turpin n'eut pas la possibilité de s'entretenir avec Mazières à son retour de Berne comme il l'avait souhaité. Mais il apprit que le secrétaire général convoquerait dans son bureau, en fin de journée, une réunion restreinte à laquelle il était prié d'assister. Il y vit la conséquence du document qu'il avait rédigé la veille au soir.

Il appela Alvarez, l'informa du contenu des textes de Messand retrouvés aux archives, et apprit que l'enquêteur participerait aussi à la réunion du soir.

Craignant d'être retenu tard au ministère, Turpin fit un saut chez lui pour sortir Félix et passer une chemise propre.

*

– Madame, messieurs, nous sommes le 10 septembre. Pierre Messand a été tué il y a bientôt deux semaines. Il est grand temps de faire un point d'étape sur ce que nous savons et d'en tirer, le cas échéant, des conclusions opérationnelles sur la conduite à tenir.

Du pur Mazières, sourit intérieurement Turpin qui s'amusait volontiers des formulations à la fois technocratiques et solennelles de son ancien patron lorsqu'il avait un public. Le secrétaire général affichait, pour une fois, une mine fraîche et presque enjouée, comme si l'air des Alpes lui avait profité. Turpin balaya du regard l'aréopage assis autour de la table. Il vit Élisabeth Janson-Smith, invitée en tant que directrice politique par intérim, et Jérôme Mariotti, qui devait être là pour suppléer le haut fonctionnaire de défense, en charge des questions de sécurité diplomatique. Son propre chef, Serge Badalan, occupait un bout de la table avec la majesté un peu raide qui sied aux directeurs d'Afrique du Nord et du Moyen-Orient. Il se demanda, en revanche, ce que Jean-Louis Buren faisait là. Mazières présenta deux autres personnes que Turpin ne connaissait pas, un conseiller du cabinet dont les fonctions précises restèrent floues, et un représentant de la DGSE à la coupe de cheveux militaire dont le nom ne fut même pas prononcé.

– Loin de moi l'idée, poursuivit Mazières, de revendiquer le premier rôle dans la conduite de cette investigation. Je vais du reste, dans un instant, passer la parole à M. Alvarez pour qu'il nous dise ce qu'il est en droit de nous apprendre. Mais il nous faudra, ensuite, discuter ici des implications diplomatiques immédiates de cette affaire.

L'enquêteur de la DST fit, de bonne grâce, un point détaillé sur l'état de l'enquête en insistant sur les similitudes presque parfaites entre la façon dont avait été tué Pierre Messand et la mise à mort de Chapour Bakhtiar. Ces détails scabreux, dont la plupart des participants n'avaient jusque-là pas eu connaissance, créèrent un malaise palpable autour de la table. Couteaux de cuisine, étranglements, scies à pain et blessures sanglantes n'entraient pas dans le vocabulaire quotidien du Quai d'Orsay ; ou alors sous une forme métaphorique pour colorer des querelles intestines. Alvarez insista aussi sur les liens anciens et, semblait-il, constants de Messand avec des segments de la dissidence iranienne, en Iran comme en France. Il souligna toutefois, pour conclure, que l'ensemble de ces éléments n'aboutissait qu'à des présomptions. Rien de précis, en outre, n'offrait la moindre piste quant au mobile du meurtre. La conversion de Messand à l'islam, même si elle pouvait surprendre, gardait l'apparence d'un acte de circonstance.

La présentation d'Alvarez fut suivie d'un long silence. On entendit le léger tic-tac d'une pendule murale à l'aspect vaguement saxon. Le directeur des Affaires stratégiques, qui semblait être le seul à jouir de se trouver là, finit par se lancer.

– C'est grâce à moi qu'on a fait le lien avec Chapour Bakhtiar. D'ailleurs, je me doutais bien que ça se terminerait comme ça. À trop fréquenter les Iraniens…

– Taisez-vous Buren, grogna Mazières. Vous n'êtes pas ici pour donner votre avis sur l'enquête ou sur la vie de Messand. La seule raison pour laquelle je vous ai fait venir, c'est qu'il va nous falloir parler du voyage du ministre à Téhéran. Mais nous y viendrons tout à l'heure.

Buren se tassa sur sa chaise. Un jeune homme en livrée entra pour déposer sur la table du café et des rafraîchissements. Mazières invita d'un geste chacun à se servir. Puis il se tourna sur sa droite.

– La DGSE a-t-elle un avis ?

– Je crains que non, monsieur le secrétaire général, répondit benoîtement le soldat inconnu. Tout ce que je peux ajouter à l'exposé de mon collègue de la DST, c'est que des dizaines d'opposants iraniens ont été assassinés hors d'Iran depuis vingt ans, en Europe et au-delà. Certains étaient des militants très en vue. D'autres moins.

– Y avait-il toujours un mobile précis à ces meurtres ? demanda Mazières.

– C'est difficile à dire. Il n'y a jamais eu de fatwa ciblant les dissidents iraniens réfugiés à l'étranger. Ceux-ci préfèrent se référer à une déclaration de l'ayatollah Khalkhali, le sinistre procureur qui a présidé le tribunal révolutionnaire de Téhéran au début de la révolution. Ce texte, paru en mai ou juin 1979 dans un grand journal iranien, donnait une liste des personnalités à tuer. On y trouvait des membres de la famille impériale, bien sûr…

– Et Bakhtiar ?

– Oui, il y figurait lui aussi, avec d'autres anciens responsables plus ou moins proches du chah. Des ministres, des gouverneurs, des généraux. Plus généralement, si je me souviens bien, l'anathème ciblait en vrac « le roi, sa famille, ceux qui l'accompagnent et ceux qui ont quitté l'Iran après la révolution ». Vous voyez, c'est vaste. Anis Naccache a invoqué cette déclaration lors de son procès, après la première tentative d'attentat contre Bakhtiar. Mais le paradoxe, c'est que les tribunaux islamiques ont rarement prononcé des verdicts en bonne et due forme. Khalkhali délirait, selon plusieurs experts.

Il connaît son sujet, se dit Turpin. Même Badalan avait l'air estomaqué.

– Cette déclaration visait-elle aussi des ressortissants étrangers ? insista Mazières. D'ailleurs, les attaques commises hors d'Iran et attribuées à celui-ci ont-elles jamais visé des étrangers ? Des diplomates par exemple ?

– Pas à ma connaissance. Si l'on excepte, bien sûr, les fonctionnaires français enlevés au Liban en 1985. On sait aujourd'hui que l'Iran a joué un rôle dans ces affaires-là, même s'il n'était pas en première ligne.

– Je confirme, intervint sobrement La Nouille.

Mazières prit un air entendu et revint vers Alvarez.

– A-t-on observé des activités suspectes autour de l'ambassade d'Iran ces derniers temps ? Des visiteurs du soir ? Des allées et venues inhabituelles de véhicules ?

– Non, rien de particulier avenue d'Iéna. Et le volume de leur trafic télégraphique, que nous mesurons sans pouvoir le décrypter, est resté à peu près constant depuis le début du mois d'août. Aucun signal de fébrilité autour du 29 août, j'ai vérifié auprès des techniciens.

Quel drôle de métier, se dit Turpin en contemplant la pendule saxonne. Mesureur de volume télégraphique. Comment ces gens-là décrivaient-ils leur profession à leurs enfants ? Il vit que Mazières prenait son air absent et se prépara pour la tirade qui s'annonçait.

– Bien, reprit le secrétaire général sur un ton conclusif. Si j'essaie de résumer les choses, plusieurs traits dans cette affaire pointent vers l'Iran. Le *modus operandi* du meurtre de Messand, ses affinités électives avec des membres éminents de la dissidence iranienne, et la fâcheuse habitude qu'a, depuis plus de vingt ans, la République islamique de faire assassiner ceux qu'elle craint ou, tout simplement, ceux qu'elle n'aime pas. Pour autant, à supposer que nous décidions à ce stade de privilégier la piste iranienne, nous nous heurtons à la question du mobile. Nous ne savons pas non plus où se trouvait Messand du 16 au 25 août. Rien ne dit qu'il se trouvait en Iran. J'imagine que nous le saurions. Mais il est évident qu'il va nous falloir creuser cette piste iranienne, la seule pour l'instant à se matérialiser devant nous. Dans ce contexte, la question la plus immédiate est désormais la suivante : est-il sage de laisser le ministre partir après-demain à Téhéran, sachant que l'Iran est dans notre collimateur pour l'assassinat de Messand ? Je vous laisse imaginer les manchettes des journaux s'il se sait, dans quelques jours, que le ministre est allé faire risette avec les mollahs alors que nous les soupçonnions déjà. Ce ne sera pas joli joli. Buren, vous qui vouliez parler, vous avez une opinion ?

Buren se rengorgeait déjà quand l'homme du cabinet prit soudain la parole.

– Monsieur le secrétaire général, je suis tenu de vous dire que le ministre tient beaucoup à ce déplacement. C'est d'ailleurs un voyage en format troïka, avec ses collègues britannique et allemand. Il s'agit du coup d'envoi à la négociation sur le programme nucléaire iranien. Ce n'est en aucun cas une visite bilatérale. La présence de la France sera diluée par les deux autres Européens.

– Vous êtes prêt à expliquer ça au ministre, vous ? Qu'il sera dilué dans Joschka Fischer et Jack Straw ? Alors allez-y. Bonne chance !

Le conseiller soupira et battit en retraite. Buren en profita pour sauter dans la tranchée.

– Monsieur le secrétaire général, il y a un autre aspect à prendre en compte. Les Américains…

– Quoi, les Américains ?

– Eh bien… Comment exprimer ce-la ? Nous sommes déjà en délicatesse avec Washington. Depuis l'Irak. Et les Américains réagissent très mal à ce projet de visite en Iran. Est-ce vraiment la peine d'en rajouter ? Veut-on se fâcher une nouvelle fois avec eux ?

– Écoutez, Buren. Cet aspect a déjà été tranché par l'Élysée. N'essayez pas d'entrer par la fenêtre quand on vous a fait sortir par la porte. Je m'efforce ici de peser le pour et le contre d'une visite en Iran sous le seul angle qui nous intéresse, l'affaire Messand. Vous en pensez quoi, vous, Badalan ?

Le directeur ANMO sortit de sa torpeur hiératique de satrape.

– Monsieur le secrétaire général, je pense, en toute humilité, qu'il y a plusieurs aspects à considérer. L'argument du cabinet sur la dilution me paraît recevable si nous le prenons à l'envers : c'est en ne se joignant pas à ses homologues Fischer et Straw que le ministre sera véritablement dilué. La France n'apparaîtra pas. Britanniques et Allemands en profiteront pour tirer la couverture à eux. Surtout les Britanniques, on peut compter sur eux… Et puis il y a des aspects économiques et commerciaux à prendre en compte. Cette visite est l'occasion d'avancer nos pions en vue des prochains grands contrats. L'Iran veut des raffineries, des usines automobiles. Il serait risqué, à mon humble avis, de laisser seuls à Téhéran nos concurrents les plus sérieux.

– C'est vous qui allez vous diluer, Badalan, à force d'humilité. Et vous ne répondez pas plus à la question que Buren.

Mazières se tourna enfin, plein d'onction, vers Élisabeth Janson-Smith qui n'en menait pourtant pas large.

– Monsieur le secrétaire général, il me semble qu'à ce stade nous ne disposons d'aucune preuve tangible de l'implication des Iraniens dans la mort de Pierre. Seulement quelques présomptions, certes troublantes ; mais enfin, ce ne sont que des présomptions, comme l'a lui-même souligné M. Alvarez. En outre, même en postulant qu'ils en sont responsables, je crois qu'il serait risqué de retenir le ministre. Pour la simple raison que Téhéran se poserait des questions. Et nous n'avons nul intérêt à ce que les Iraniens aient vent de nos soupçons. Et puis cette visite peut nous permettre de creuser un peu, vous ne croyez pas ? Voir comment les Iraniens se comportent. Voir s'ils abordent d'eux-mêmes la mort de Messand, lequel aurait dû être de ce voyage s'il était encore en vie. Téhéran, si je ne me trompe, c'est la capitale mondiale des condoléances…

– Eh bien, voilà ! Cherchez la femme, exulta Mazières. Messieurs je vous remercie, et je ne vous félicite pas. La réunion est terminée. Je sais ce que je vais dire au ministre.

Au moment où Turpin allait quitter la pièce, Mazières le retint par la manche.

– René, passez me voir demain matin à la première heure. Élisabeth vient de me donner une idée.

*

Il ressentit un profond soulagement en quittant le ministère. Même s'il restait maintes zones d'ombre, l'enquête suivait désormais une direction précise. Il n'était pas certain, au demeurant, qu'on puisse aller beaucoup plus loin. L'Iran savait camoufler ses traces. Parmi toutes les affaires de meurtre qu'on lui attribuait depuis quelque vingt ans, pratiquement aucune n'avait débouché sur une mise en cause formelle de la République islamique.

Il songea à sa mère avec une ironie un peu coupable. *Ça peut être un coup des Iraniens, non ?* avait-elle dit d'emblée.

Turpin décida de s'accorder une soirée de détente. Dix heures n'avaient pas encore sonné, il avait le temps d'attraper une dernière séance de cinéma. Il acheta un *Pariscope* dans un kiosque à Montparnasse, poussa jusqu'à la rue d'Odessa et contempla les films à l'affiche. *Filles perdues, cheveux gras*, ne lui dit rien qui vaille. *Animatrix* avait la sonorité d'un mauvais porno. Il se décida pour *Depuis qu'Otar est parti*, une production franco-belge dont les critiques disaient le plus grand bien.

L'histoire se passait en Géorgie et mettait en scène trois générations de femmes dans une même maison. Un fils, émigré en France, disparaissait dans un accident. On s'efforçait par tous les moyens de dissimuler sa mort à la grand-mère.

Le film plut à Turpin, qui se laissa séduire par la mélancolie déglinguée de Tbilissi, ses rues pavées, l'accent rocailleux de ses habitants. La Géorgie… Pour lui, l'espace post-soviétique n'avait jamais été qu'une vaste décharge atomique peuplée de gens aux mauvaises dents. La Géorgie… Peut-être se renseignerait-il en vue du prochain poste. Ça n'avait pas l'air si sinistre que ça…

Félix ne dormait que d'un œil quand il rentra chez lui. Turpin le caressa un moment. Le chien prit la pose extatique d'un scarabée retourné sur le dos, agitant ses petites pattes et roulant des yeux blancs.

*

– Turpin, réjouissez-vous. Vous partez à Téhéran !

Il sentit le parquet verni se dérober sous ses pieds. Mazières avait l'air en grande forme et empestait l'eau de Cologne.

– J'ai longuement réfléchi, hier soir, après notre petite réunion. Élisabeth a raison. Le voyage du ministre nous offre une opportunité qu'il faut saisir.

– Monsieur le secrétaire général, je crois qu'elle parlait seulement d'observer les officiels iraniens, intervint Turpin sur un ton effaré.

Mazières ne se laissa pas démonter.

– Écoutez, René, calmez-vous. Il ne s'agit pas d'aller formellement poursuivre l'enquête à Téhéran. Mais je me dis que ce déplacement peut vous permettre d'aller, comment dire, sentir un peu les choses sur place. Nous coinçons toujours sur la question du mobile, je vous le rappelle. Ce sera l'occasion pour vous de rencontrer quelques proches de Messand, certains de ses vieux amis. Parmi eux, quelqu'un aura peut-être une idée. Parlez avec sa veuve. Elle saura certainement vous guider, vous suggérer des noms.

Turpin songea au vieux philosophe dont lui avait parlé Garcillac. Il ne parvint pas à se souvenir de son nom.

– Et puis, poursuivit Mazières, nous avons à Téhéran une antenne très efficace de la DGSE. J'ai appelé le Boulevard Mortier dès hier soir. Ils ne sont pas très chauds mais ils vont voir ce qu'ils peuvent faire pour vous aider, sur place, à rencontrer une ou deux personnes de confiance.

– Vous voulez que je parte dans l'avion du ministre ? Ça ne laisse pas beaucoup de temps…

– J'ai déjà tout arrangé. Vous figurez sur la liste de la délégation, en tant que secrétaire. C'est une configuration idéale. Les Iraniens n'y verront que du feu. Pour reprendre la discussion d'hier soir, c'est vous, René, qui serez dilué dans la délégation. Et vous logerez à la résidence, avec les chiffreurs du ministre. Comme ça, vous serez libre de vos mouvements. La délégation, qui est hébergée dans un hôtel, sera occupée à négocier. Vous, de votre côté, vous pourrez mener vos petites affaires à l'insu de tous. L'ambassade mettra à votre disposition une voiture avec chauffeur.

– Mais combien de temps la délégation reste-t-elle à Téhéran ?

– L'avion du ministre décolle demain matin à l'aube. Vous atterrirez là-bas vers 15 heures, heure locale. Il est prévu que l'avion reparte samedi soir. Ça vous laisse donc un peu plus de vingt-quatre heures sur place.

Turpin était médusé. Mazières avait déjà pensé à tout. Il pesa, cette fois, la possibilité d'un refus. Assister les enquêteurs à Paris était une chose. Aller jouer les inspecteurs Clouseau à Téhéran en était une autre. Et puis la finalité de ce voyage lui paraissait peu claire. Que pourraient lui apporter de plus les vieux copains de Messand ? *Vous pourrez mener vos petites affaires à l'insu de tous.* Le secrétaire général en avait de bonnes. En circulant dans une voiture munie de plaques diplomatiques, il ne passerait certainement pas inaperçu. Et pourtant… Il y avait un petit quelque chose qui l'attirait dans ce voyage. Était-ce l'idée de décortiquer un peu plus loin la vie de Messand ? Il reconnut malgré lui que la perspective d'un aller-retour à Téhéran ne lui déplaisait pas.

– Tiens, au fait, j'ai oublié de vous dire. On a fini par mettre la main sur une copie du manuscrit de Messand.

– Ça alors ! Comment diable avez-vous fait ?

Une surprise non feinte s'était peinte sur le visage de Mazières. Turpin lui expliqua.

– Vous êtes un malin, Turpin. Alors, qu'en pensez-vous ?

– La même chose que vous. De beaux textes. Mais ils ne contiennent à mon sens aucune indication utile. À moins que ne s'y cache quelque chose que nous ne voyons pas. Je ne comprends pas pourquoi ce manuscrit a été volé.

Mazières le scrutait de ses petits yeux de saurien.

– Vous êtes déjà allé en Iran, Turpin ?

– Dans ma jeunesse, oui. Ma mère a participé plusieurs années de suite au festival de théâtre qui se tenait à Chiraz. En règle générale, elle m'emmenait. La dernière fois, je devais avoir dix-sept ans. Mais c'était à l'époque du chah. Les choses ont dû bien changer depuis.

– Eh bien, vous allez pouvoir vous en rendre compte par vous-même. Dépêchez-vous d'aller porter votre passeport diplomatique au secrétariat du cabinet. L'ambassade d'Iran doit délivrer tous les visas cet après-midi.

Étrangement, Turpin ressortit du bureau de Mazières avec une seule question en tête : qu'allait-il faire de Félix ?

*

Le ministère baigna toute la journée dans une atmosphère blafarde et cotonneuse. Des images d'avions se fracassant sur des tours passaient en boucle à la télévision. Deux ans après, la démesure des attaques continuait d'hypnotiser le monde. L'on sut que le ministre se rendrait vers 15 heures à l'ambassade américaine pour prendre part à une minute de silence commémorative. Les persifleurs se demandèrent à voix basse s'il pourrait rester coi aussi longtemps.

Turpin passa voir un Garcillac au bord de la crise de nerfs et lui apprit qu'il serait du voyage. Malgré son fardeau, le rédacteur s'engagea à contacter Cyrus Ebrahimi en vue d'un entretien pour le lendemain à Téhéran.

– Il est âgé et ne se déplace plus beaucoup. Je pense qu'il te recevra chez lui.

Il ne put joindre Farvardine Messand, dont les téléphones paraissaient débranchés. Il se figura qu'elle était maintenant entrée de plain-pied dans son deuil et ne voulait voir personne. Mais il prévint Alvarez de son départ.

Il passa l'après-midi à appeler, en vain, des connaissances susceptibles d'assurer la garde de Félix jusqu'au dimanche. Jean-Baptiste, qui l'observait à la dérobée, finit par intervenir :

– Mais enfin, René, je peux le prendre chez moi, votre chien !

Turpin fut tellement surpris qu'il en oublia les bonnes manières et rétorqua d'un ton rogue :

– Ah bon ? Non seulement vous jouez les cadors en informatique, mais vous vous y connaissez en canidés ! Décidément vous êtes un jeune agent plein de surprises !

Jean-Baptiste répondit patiemment qu'il adorait les chiens. Il se ferait un plaisir de prendre chez lui l'animal. Turpin bougonna un moment, incapable d'arbitrer entre son soulagement et le sentiment d'endettement qui grandissait en lui. Jusqu'où croîtrait sa dépendance à l'endroit du jeune homme ? Ils convinrent de se retrouver le soir même au métro Père-Lachaise, à proximité du domicile de Jean-Baptiste.

Il récupéra son passeport en fin de journée. On lui indiqua qu'un autocar partirait du ministère le lendemain matin à 6 heures pour emmener la délégation à l'aéroport militaire de Villacoublay. L'avion du ministre devait décoller à 7 heures.

6

Longtemps l'avion vola très haut, glissant presque sans bruit sur une étendue de nuages plats qui s'ouvrait par endroits pour laisser voir la terre, verte et floue, comme un fond marin sous l'écume. On longeait maintenant les provinces pontiques de la côte turque et Turpin suivait, sur l'écran, la ligne rouge du sillage. Sinop, ville de Diogène. Samsun, pays des Amazones. Trébizonde et les vestiges du dernier Empire grec. Il avait aimé, quinze ans plus tôt, parcourir en voiture ces vieilles terres hérissées de mosquées et parsemées de ruines.

Assis à l'arrière avec les chiffreurs et quelques journalistes, il ne recevait qu'un écho lointain et assourdi des tempêtes en cours dans la cabine avant. Il rêvassait, songeant avec une gratitude mêlée d'amusement au jeune Bruxel, resté seul à Paris avec le chien Félix et sa joie toute neuve d'être diplomate. Avait-il éprouvé les mêmes transports au démarrage de sa propre carrière ? Convoquant des souvenirs disparates, il revit les moues contrariées de sa mère ; son propre étonnement au constat qu'on ne savait trop où l'affecter ; son ravissement à gagner Stockholm juste avant les premières neiges… Vingt ans auparavant, tout était plus simple et plus expéditif. On vous poussait dans un avion dès le concours en poche, et nul ordinateur ne vous suivait à la trace. En avait-il conçu pour autant une telle exaltation ?

Il sourit intérieurement en évoquant le souvenir de Jean-Baptiste qui l'avait attendu, la veille au soir, à la sortie du métro pour récupérer le chien. L'air à la fois joyeux et emprunté, le jeune homme avait insisté pour que Turpin vienne prendre un verre chez lui. En sirotant un Martini dans le petit studio du sixième étage, il avait reconnu avec soulagement sa propre jeunesse dans les multiples cartes géographiques punaisées sur les murs. À quoi s'était-il donc attendu ? À des clichés de camionneurs dénudés ? À des affiches de culturisme ? Il avait aussi observé du coin de l'œil l'ordinateur portable qui clignotait silencieusement sur le lit.

– Vous aimez donc les cartes ? avait demandé Turpin par politesse.

– Beaucoup. J'ai passé la moitié de mon séjour à Londres à écumer la Société royale de géographie. Les Britanniques considèrent qu'on ne peut devenir diplomate sans savoir tracer n'importe quelle carte à main levée.

Sacrés Britanniques… À quoi servait encore de tracer des cartes dès lors qu'on n'avait plus d'empire ? Et qui savait encore le faire au Quai d'Orsay ?

Il tressaillit au passage du pauvre Garcillac qui courait d'un bout à l'autre de l'avion, Badalan ou Buren sur les talons, brandissant des feuillets à récrire. L'agitation persista presque jusqu'à l'atterrissage. Le silence se fit quand enfin s'amorça la descente dans la lumière blonde de l'après-midi. On vit apparaître les contreforts de l'Alborz et le désert de Qom. Tout au fond de la ville, le massif du Tochal s'élevait comme un rempart quand l'avion se posa.

Tandis que la délégation partait négocier, Turpin fut d'abord conduit à la résidence. La voiture suivit sans dévier une longue avenue rectiligne qui traversait la ville de part en part. On était vendredi. Des badauds flânaient sur les trottoirs, et il constata que toutes les femmes ne portaient pas le noir. Les immeubles étaient gris, les mosquées plutôt rares. On aurait pu se trouver n'importe où, n'eût été la fréquence des portraits de vieillards en turban qui jalonnaient l'avenue.

Résidence et chancellerie partageaient le même lieu, une vaste enceinte au centre-ville, mitoyenne de la mission italienne et proche de l'ambassade russe. On l'installa dans un petit pavillon de briques au fond du jardin, qui comptait deux chambres et un salon. Il prit une douche et remisa son complet pour enfiler des vêtements plus conformes à son souhait de passer inaperçu. Le chauffeur promis se matérialisa peu après.

*

Cyrus Ebrahimi vivait à mi-pente dans un quartier aux maisons basses envahi par les arbres. De là, on voyait mieux les montagnes. Avant de sonner, Turpin prit un moment pour scruter l'immense barrière de roche qui dominait la ville. Il tenta d'imaginer Bakhtiar et Messand s'élevant sur les sentes des muletiers tout en causant de politique.

Un domestique vint lui ouvrir et, lui faisant traverser un intérieur à l'aspect plutôt moderne, le conduisit jusqu'au jardin où l'attendait son hôte. Cyrus Ebrahimi était un vieux monsieur au regard pétillant, étrangement vêtu d'étoffes aux couleurs chatoyantes. Turpin lui ayant expliqué le but de sa visite, son regard s'assombrit.

– La mort de Pierre m'attriste beaucoup. Nous étions liés depuis plus de vingt ans. Quand nous nous sommes connus, j'avais encore la chaire de philosophie à l'Université de Téhéran. Puis la révolution a tout balayé et je me suis mis à écrire des livres.

Il faisait encore chaud. Le domestique apporta de la limonade et des petits bols emplis de noix et de fruits secs.

– Je ne parviens pas, poursuivit-il, à me figurer la raison pour laquelle on l'a assassiné. Ça ne tient pas debout, cette histoire. Pierre ne s'est jamais fait d'ennemis en Iran.

– Farvardine nous a dit qu'il s'était intéressé de près au chiisme. J'imagine que vous êtes un de ceux qui l'ont guidé dans cet effort.

– Oui, sans doute. Nous parlions beaucoup, Pierre et moi. Lors de son dernier séjour, il venait ici presque chaque vendredi. Vous êtes familier de la doctrine chiite ?

– D'assez loin, reconnut Turpin.

Il s'était, en Turquie, familiarisé avec les rudiments de l'islam. Mais on y était, pour l'essentiel, d'obédience sunnite. Du chiisme, il se souvenait de la querelle de succession à la mort du Prophète, des douze imams, de la singulière prédominance du clergé. Guère davantage.

Cyrus Ebrahimi but une gorgée de limonade et se cala au fond du lit en bois jonché de coussins où il était presque allongé.

– Le chiisme… Ne vous arrêtez pas, bien sûr, à la manifestation sinistre qui nous en est donnée dans ce pays depuis plus de vingt ans. Comment vous résumer les choses ? Vous le savez sans doute, pour les sunnites, la révélation est accomplie. Après la mission du dernier prophète, Mohammad, il n'y a plus rien à attendre.

Eh bien, chez les chiites – et là, je paraphrase le grand professeur français Henry Corbin – on refuse d'avoir son avenir derrière soi. Le chiisme considère que, même après la venue de Mohammad, quelque chose est encore à attendre, à savoir la révélation du sens spirituel des révélations antérieures. Et cette compréhension ne sera complète que lors du retour du douzième imam, celui qui est caché.

– C'est donc une doctrine ésotérique ? risqua Turpin.

– Oui, on peut dire que le chiisme est une religion ésotérique vivante. Les sunnites pensent que Mohammad a clôturé le cycle de la prophétie. Mais pour les chiites, l'histoire religieuse de l'humanité n'est pas refermée. Un autre cycle commence après la mort de Mohammad, un cycle d'initiation progressive au sens intérieur, ésotérique, des révélations.

– Comme le soufisme ?

– Il existe, en effet, une parenté entre chiisme et soufisme. La philosophie du chiisme est d'aspect herméneutique, elle s'attache à dévoiler ce qui est dissimulé sous l'apparent. Laissez-moi vous citer une nouvelle fois, de mémoire, Henry Corbin, qui a très bien formulé les choses. « L'islam professé par la conscience chiite repose sur une thèse fondamentale, qui a suffi dès l'origine à provoquer l'alarme chez les docteurs de l'orthodoxie sunnite, selon laquelle tout ce qui est extérieur, toute apparence, a une réalité intérieure, cachée, ésotérique. »

– Et qu'est-ce qui intéressait Pierre Messand dans tout ça ?

Ebrahimi se redressa lentement et fit mine de se lever.

– Vous avez déjà goûté aux délices de l'opium, monsieur Turpin ?

– Une ou deux fois, au Laos.

– Alors, venez. Nous allons fumer ensemble. C'est ce que font depuis toujours, en Perse, les gens de bonne compagnie. Et les vieilles gens, comme moi. Outre le plaisir que cela procure, cela fait baisser la tension artérielle et apaise toutes les menues douleurs.

Il guida Turpin à petits pas vers une pièce à l'intérieur de la maison, seulement meublée d'un immense tapis et d'étroits matelas, où les attendait un brasero préparé par le domestique. Lorsqu'ils furent allongés, Ebrahimi fit grésiller une petite boule brune collée sur le foyer de sa pipe. La pièce s'emplissait déjà d'une fumée âcre et douce quand il reprit :

– Pierre était fasciné par cette idée de mondes intérieurs, d'univers suprasensibles que seule une démarche ésotérique peut nous permettre d'approcher. Il avait fait sienne une formulation de l'imam Ja'far, notre sixième imam, qui vécut au VIIIe siècle. *Notre cause est un secret voilé dans un secret, le secret de quelque chose qui est voilé, un secret que seul un autre secret peut enseigner ; c'est un secret sur un secret qui reste voilé par un secret.*

Ils se turent, fumant à tour de rôle et sombrant peu à peu dans un engourdissement bienheureux. *Un secret voilé dans un secret. Un secret que seul un autre secret peut enseigner*. Était-ce une métaphore de la vie de Messand ? La clé de son assassinat demeurait-elle cachée dans un monde intérieur, accessible à nul autre qu'à lui-même ?

– Vous avez raison, reprit doucement Turpin. Je ne vois rien d'offensif ou d'offensant dans son intérêt pour le chiisme. Y a-t-il autre chose ?

– Laissez-moi réfléchir… Vers la fin de son second séjour en Iran, Pierre s'est penché sur les enseignements d'une école chiite en particulier. L'école cheykhie. Il s'agit d'une école fondée au début du XIXe siècle par un cheykh originaire de Bahreïn qui résida longtemps en Iran. Elle a son centre à Kerman, dans le sud-est du pays, où elle dispose encore d'un collège de théologie et d'une imprimerie.

– Qu'a-t-elle de particulier ?

– Pierre s'intéressait à un point très précis de la doctrine cheykhie, qui postule qu'Ève est l'égale d'Adam. « Elle n'est ni plus ni moins que lui », professait le cheykh. Je vous passe les détails. Mais, vous l'imaginez, c'est un point qui ne fait pas l'unanimité dans l'islam.

Il partit d'un rire un peu haletant. L'opium rendait sa respiration plus pesante.

– Cette école est-elle perçue ici comme hérétique ? demanda Turpin.

– Pas du tout. C'est seulement une des écoles de la spiritualité chiite. Il y en a d'autres. Le régime ne les encourage pas mais il les laisse vivoter car elles ne présentent aucun danger pour le dogme officiel. Elles n'attirent plus, du reste, qu'une poignée de vieux érudits.

Turpin flottait maintenant dans un monde intermédiaire dépourvu d'inquiétude. Au-dehors retentissait l'appel du muezzin pour la prière du couchant. Le domestique entra et déposa devant eux deux tasses d'un thé brûlant très sucré.

– C'est ce seul point de doctrine qui intéressait Messand ?

Ebrahimi mit un moment à répondre. Derrière les verres épais de ses lunettes, ses pupilles s'étaient singulièrement rétrécies. Il parlait maintenant d'une voix un peu rêveuse.

– Pierre s'intéressait beaucoup à la place de la femme dans telle ou telle civilisation donnée. Sur la fin de son séjour ici, il s'était mis à échafauder une théorie assez singulière que je trouvais intéressante.

– Sur les femmes ?

– Oui. Sur les femmes dans l'islam. Il faisait tout d'abord observer que, dans l'histoire coloniale européenne, le monde musulman est quasiment le seul espace conquis où aucun métissage ne s'est produit. Parce que les femmes musulmanes y sont restées inaccessibles au désir des infidèles. Contrairement à ce qui est arrivé aux Amériques, en Afrique noire, et même en Asie, où cet interdit n'existait pas, en tout cas pas dans les mêmes termes. Il en concluait qu'il existe, dans l'islam, un trait de société presque identitaire, qui concerne le rôle dévolu à la femme, à son enfermement, à sa soustraction au regard des hommes. Mais Pierre poussait le raisonnement encore plus loin…

– C'est-à-dire ?

– Il s'interrogeait beaucoup sur le repli du monde musulman sur lui-même, depuis les années 1960 et 1970, et sur le succès rapide dans cet ensemble des doctrines de pouvoir islamistes. Il faisait remarquer que le début de ce repli correspond à peu près, chronologiquement, au moment de l'émancipation des femmes en Occident. Au moment où les femmes, chez vous, gagnent le droit d'être les égales des hommes et obtiennent la pleine maîtrise de leur sexualité.

– Mais enfin, objecta Turpin, les doctrines islamistes, ça remonte aux années 1920 ! Si j'ai bonne mémoire, les Frères musulmans voient le jour en Égypte en 1928.

– Vous avez parfaitement raison. Mais la question que se posait Pierre, c'est pourquoi ces doctrines n'ont pas vraiment prospéré jusqu'aux années 1960 et 1970. Et là, il constate une chose : le monde musulman, qui avait absorbé bon gré mal gré toute la modernité scientifique produite par l'Occident depuis plusieurs siècles – la machine à vapeur, la vaccination, l'électricité, le téléphone, la voiture, le train, l'avion, et j'en passe –, se braque et rue des quatre fers quand lui parvient une version de la modernité, sociétale cette fois, qui menace le vieil ordre établi. La place de la femme ! Et là, il dit non. Et commence à embrasser l'islamisme.

La tête renversée sur un oreiller, Turpin luttait contre l'endormissement.

– C'est tout de même difficile à prouver…

– Bien sûr que c'est difficile à prouver. Et c'est une thèse plutôt délicate, vous l'avouerez, par les temps qui courent. Disons que Pierre ressentait cela comme une intuition. Mais il est vrai que les raisonnements admis sur le basculement du monde musulman dans l'islamisme ignorent globalement cet aspect, et préfèrent s'en tenir à des motifs d'ordre économique et social, comme la pauvreté et l'injustice, ou politiques, comme la cause palestinienne. La thèse de Pierre ne fait certainement pas le tour du sujet. Mais elle a peut-être le mérite d'expliquer un déclic. De mettre le doigt sur un malaise, un moment où les choses ont commencé à changer dans les pays d'Islam. Ou plutôt, à ne pas changer. C'est, d'ailleurs, une théorie applicable aux minorités musulmanes qui résident dans vos pays.

– Il l'avait partagée avec qui, sa théorie ?

– Avec moi, pour l'essentiel. Ne craignez rien, personne en Iran n'en a eu vent. Mais je ne suis pas certain que les gens qui gouvernent aujourd'hui mon pays l'auraient désavoué. Au fond, les mollahs disent à peu près la même chose lorsqu'ils vitupèrent contre les mœurs débauchées de l'Occident. Je vous rappelle qu'ici, la révolution a commencé peu après qu'on eut vu, au festival de théâtre à Chiraz, des femmes nues monter sur scène…

*

Turpin somnola sur le chemin du retour, bercé par les cahots, trempant encore dans une brume opiacée qui lui causait des rêves étranges et vaguement déplaisants. Des images de Messand gravissant le Tochal se mêlaient à la vision de mollahs scrutant des secrets cosmiques enfouis dans d'autres secrets. Entre deux feux rouges, il vit sa mère monter nue sur une scène de théâtre, sous l'œil lubrique d'un ayatollah ombrageux qui n'en perdait pas une.

Il éprouvait une légère nausée quand il se réveilla devant l'ambassade, et le chauffeur dut l'aider à descendre de voiture. Une fois rentré dans l'enceinte, il constata que la résidence était tout éclairée. S'aventurant dans le manoir perso-normand, il contempla un moment les portraits d'officiers moustachus, les bas-reliefs constellés d'éclats de miroir qui réfractaient une lumière d'apparat. La délégation gisait affalée au milieu de ce luxe. Turpin repéra Garcillac, vautré dans un canapé près des fenêtres, et alla s'asseoir auprès de lui.

– Alors, ça avance, votre négociation ?

Garcillac fit une moue peu encourageante.

– Tu sais, ici, on ne sait jamais vraiment si on progresse ou pas. Mais j'imagine qu'il faut garder espoir, puisque nous avons de nouveau rendez-vous avec les Iraniens demain matin.

Turpin eut ainsi la confirmation qu'il aurait du temps le lendemain.

– Monsieur Turpin, puis-je vous parler un instant ?

Baignant toujours dans sa narcose inquiète, il n'avait pas vu approcher la grande silhouette sombre qui se tenait maintenant derrière le sofa. L'homme lui fit franchir les portes vitrées et ils descendirent ensemble la volée de marches conduisant au jardin.

– Je suis le représentant de la DGSE à Téhéran. Ma hiérarchie m'a donné instruction de vous fournir un contact. C'est chose faite.

– Qui vais-je rencontrer ?

– Peu importe son nom. Mes interlocuteurs du service de renseignement iranien m'ont seulement assuré que vous verriez quelqu'un qui a connu Pierre Messand, et qui devrait pouvoir vous renseigner.

– Ils connaissent donc l'objet de ma venue ?

– Oui. À l'évidence, ils le connaissaient avant même que je ne les contacte.

– Et pourquoi sont-ils prêts à me parler ?

L'homme esquissa un sourire énigmatique.

– Disons que je leur ai rendu récemment un service. Une petite faveur. Ils renvoient tout simplement l'ascenseur.

– Où la rencontre doit-elle avoir lieu ?

– Vous êtes attendu demain matin, à 9 heures, à l'imamzadeh Ghassem. C'est un petit sanctuaire, tout au nord de Téhéran, au pied des montagnes. Votre chauffeur vous y conduira. Partez assez tôt. La semaine de travail recommence demain, il y aura beaucoup de trafic sur la route.

– Mais comment saurai-je à qui parler ?

– Ne vous inquiétez pas. Ils sauront qui vous êtes et vous approcheront.

L'homme disparut dans la nuit. Turpin sentait maintenant se dissiper les derniers nimbes du pavot. Les mots de Garcillac résonnaient encore. *Tu sais, ici, on ne sait jamais vraiment si on progresse ou pas*. L'esprit un peu anxieux, il regagna sa chambre d'un pas plus assuré.

*

Ils mirent plus d'une heure à atteindre le sanctuaire. La voiture emprunta d'abord un entrelacs d'autoroutes puis, parvenue au pied des pentes, serpenta à grand-peine dans des ruelles encore sombres où flottait un parfum de pain chaud. Devenu plus loquace, le chauffeur tenta d'expliquer dans un français chantant émaillé de persan ce qu'était un imamzadeh. Turpin comprit qu'il s'agissait du tombeau d'un descendant d'imam, et qu'il y en avait à foison dans tout le pays. Ils gagnèrent enfin un quartier d'altitude, semblable à un village, d'où l'on pouvait contempler toute la ville.

Dès l'entrée, ses narines furent assaillies par une violente odeur de sueur, de chaussettes sales et d'eau de rose qui est – il s'en souvint soudain –, dans l'islam de Perse, l'odeur de la sainteté. Il revit sa mère le traînant, adolescent, dans les mosquées et bazars de Chiraz. Le petit sanctuaire s'éveillait à peine. Des pèlerins somnolaient encore à l'ombre d'un dôme vert et ventru. Turpin longea le bassin d'ablution vers la salle de prière. Il était sur le point de se déchausser lorsqu'il perçut une présence dans son dos. Il sentit qu'on lui passait un bandeau sur les yeux.

*

Jean-Baptiste Bruxel ignorait, en s'éveillant ce matin-là, que sa vie amoureuse était sur le point de prendre un tournant. Il trouva Félix roulé au pied du lit dans les vestiges d'un vieux pyjama, attendant docilement qu'on voulût bien le sortir. Il prit un café sur le pouce et, descendant de sa mansarde au sixième étage, emmena le chien pour une promenade aux Buttes-Chaumont.

Quelque dix jours après son entrée au ministère des Affaires étrangères, Jean-Baptiste avait encore du mal à croire en sa bonne fortune. Longtemps il avait rêvé de ce moment-là, où s'ouvrirait devant lui la perspective d'une errance ensoleillée dans les pays qu'il aimait. Il pouvait désormais se laisser aller à imaginer ce que serait sa vie dans une grande ville arabe ; les découvertes, les périples, les rencontres qu'il ferait. Et le pouls subtil et mystérieux des ambassades, qu'il peinait à sentir, à se représenter. C'était plus qu'un métier qui lui ouvrait les bras : une existence aux multiples pages blanches, peuplée de visages encore muets, rythmée de constants recommencements. Bien sûr, il lui faudrait patienter. L'Administration exigeait de tout nouveau venu qu'il passe au moins trois ans à Paris avant le grand départ. On y dressait le néophyte comme on le fait d'un poulain au manège. Restait à espérer qu'au terme de ces trois années à tourner en rond, la pesanteur des rites, l'inertie des dogmes et le goût des intrigues n'auraient pas fait de lui un eunuque.

Ses pensées revenaient souvent vers Turpin, ses cachotteries, son attitude étrange. Il ne s'expliquait pas ses absences répétées, ses moues dissimulées. En lui offrant d'accueillir Félix, Jean-Baptiste avait espéré qu'il s'ouvrirait à lui. Mais son collègue n'avait rien lâché. Qu'était-il donc allé faire en Iran ?

C'est au détour d'un bosquet dans l'avenue de Crimée qu'il tomba nez à nez sur Adrien, en pleine course d'endurance. Adrien aimait les chiens et s'arrêta pour caresser Félix. La conversation s'engagea. Ils cheminèrent ensemble autour du lac. Ignorant si Adrien reconnaissait en lui un collègue, Jean-Baptiste eut soin de ne rien laisser paraître. Leur communauté de métier, en se manifestant, eut ainsi l'attrait d'une heureuse coïncidence. Il veilla aussi à laisser Adrien, au titre du droit d'aînesse, lui prodiguer conseils et mises en garde. L'art de séduire les hommes prescrit, il le savait, soumission et flatterie en proportions presque égales.

*

Il perdit la notion du temps. La voiture dans laquelle on l'avait poussé lui sembla rouler longtemps. Une heure ? Davantage ? Il se souvint d'une formation, dispensée quelques années plus tôt par le ministère, sur les situations de crise. On lui avait appris à sauter par une fenêtre et à courir courbé ; à brûler des archives. Et lors d'un enlèvement simulé, la tête sous une cagoule, il avait ressenti cette perte de repères, cette désorientation.

Cette fois-ci, rien n'était simulé. Était-ce un enlèvement ? Il tenta de se rassurer. On n'avait jamais vu quiconque prendre en otage un membre d'une délégation ministérielle au beau milieu d'une visite officielle. L'écho assourdi de la circulation lui parvenait à travers les fenêtres fermées. La voiture paraissait s'incliner. Il en conclut qu'on devait l'emmener plus bas dans la ville. Il se détendit. Ses pensées le ramenèrent chez Cyrus Ebrahimi, dans la petite pièce où ils s'étaient abandonnés ensemble aux vapeurs de l'opium. Qu'avait-il appris ? Rien, au fond, qui permette de faire progresser l'enquête. Certes, au gré de sa quête, le personnage de Messand acquérait une étoffe, une épaisseur qu'il n'avait pas soupçonnées au départ. L'Iran avait manifestement occupé une place centrale dans sa vie intérieure. Il y avait noué des amitiés profondes et durables. Il s'y était marié. Il y avait partagé des joies, des chagrins, des souffrances ; s'y était initié aux arcanes d'une foi sombre et mystérieuse. Mais encore ? Rien dans ce que lui avait révélé Cyrus n'offrait la moindre prise.

Un freinage brusque le tira de sa réflexion. Après l'avoir sorti de la voiture, on lui fit gravir quelques marches. Une main étrangère sur l'épaule, il chemina, crut-il, le long d'un couloir et finit par entrer dans une pièce où on le fit asseoir. Le bandeau lui fut enfin ôté.

– Monsieur Turpin, je suis navré de cette mise en scène. Mais certaines précautions s'imposent, je suis certain que vous le comprenez.

La voix parlait un français parfait, teinté d'un accent vaguement oriental, mais qui n'avait pas la sonorité du persan. Il ne put distinguer le visage de son interlocuteur dans la pénombre. Seul l'éclat des perles d'un *tasbih*, le chapelet musulman, luisait sur une main immobile.

– À qui ai-je l'honneur ?

– Ce n'est pas important. Disons que je veux vous être utile, et dissiper un malentendu.

– À quel sujet ?

– À propos de Pierre Messand.

– Comment savez-vous que je m'intéresse à lui ?

La voix se changea en rire.

– Nous avons nos antennes, monsieur Turpin.

– Vous connaissiez Messand ?

– Oui. On peut dire que je le connaissais bien. Lui, en revanche, ne me connaissait pas. Nous n'avons jamais eu le plaisir de nous rencontrer. Ce que je regrette.

J'ai donc affaire à un officier du renseignement, songea Turpin. Un espion.

– Ce que je tiens à vous faire comprendre, reprit la voix, c'est que vous perdez votre temps à Téhéran. La République islamique n'a rien à voir avec son assassinat.

Ce fut au tour de Turpin de ricaner.

– Comme pour le meurtre de Chapour Bakhtiar ? La responsabilité officielle de l'Iran n'a jamais été prouvée…

La main s'anima soudain sous le *tasbih*.

– Monsieur Turpin, ne me faites pas cet affront, vous êtes un homme intelligent. Chapour Bakhtiar a trouvé la mort qu'il méritait. C'était un traître. En travaillant pour le chah, en collaborant activement avec Saddam Hussein, il a trahi la nation iranienne. Une fois déjà, en 1953, celle-ci avait fait la cruelle expérience d'un coup d'État orchestré depuis l'extérieur. Elle avait vu son destin basculer. Elle ne pouvait prendre le risque d'une nouvelle affaire de ce type. Il faut être logique, monsieur Turpin. La violence devient légitime quand il s'agit de défendre la liberté d'un peuple. Votre grand général de Gaulle n'a pas dit autre chose en 1940. Dans le cas de Bakhtiar, la nation iranienne s'est vengée. Mais elle cherchait aussi à se protéger.

– Comment expliquez-vous, alors, les étranges similitudes entre le meurtre de Bakhtiar et celui de Messand ?

L'homme fit entendre un soupir. Sa main avait repris son aspect immobile.

– Quelqu'un s'efforce de vous mettre sur une mauvaise piste. C'est tout ce que je peux vous dire.

– Vous savez qui ?

– Non, en toute sincérité, je n'en ai pas la moindre idée. Vous allez devoir creuser davantage dans la vie de Pierre Messand. Il y a forcément autre chose. Un secret enfoui quelque part.

– Pourquoi devrais-je vous croire ?

La voix soupira de nouveau.

– Vous n'êtes pas tenu de me croire. Mais, je vous l'assure, je vous dis les choses telles qu'elles sont. Pierre Messand était apprécié en Iran. Nous connaissions, bien sûr, ses contacts anciens avec Bakhtiar. Mais nous savions aussi qu'il avait pris ses distances avec lui durant la guerre que l'Irak nous a imposée. Monsieur Turpin, en toute honnêteté, croyez-vous que Téhéran aurait donné son agrément à la nomination de Messand comme ambassadeur s'il y avait eu le moindre soupçon le concernant ?

L'argument porta. Farvardine Messand avait prononcé des mots presque identiques ; sur l'écart qui s'était creusé entre son mari et Bakhtiar ; sur l'estime que lui portait le pouvoir iranien. Turpin ne savait plus que penser. Si l'espion disait vrai, la piste iranienne n'aurait plus lieu d'être. Mais alors, où chercher ? Il sentit un profond découragement l'envahir. Comme s'il l'avait perçu, l'homme reprit :

– En gage de ma bonne foi, monsieur Turpin, je vais vous apprendre quelque chose. En 1999, au cours de la dernière année de son séjour ici, Pierre Messand a ouvert un compte privé de courrier électronique auprès d'un serveur local. C'étaient les débuts d'Internet dans notre pays. À ce moment-là, très peu de gens encore étaient connectés. Nous avons donc appris aisément sa démarche.

Il s'interrompit. Quelqu'un entra pour apporter du thé. Un bruit de semelles qu'on traîne sur le sol se fit entendre, et une vague odeur d'eau de rose se répandit dans la pièce. L'homme attendit un instant pour reprendre :

– En surveillant le contenu de ses échanges, nous nous sommes vite aperçus qu'ils n'avaient pour nous qu'un très faible intérêt. M. Pierre n'utilisait ce compte que pour des correspondances privées et anodines. Des échanges avec sa famille. Quelques amis, de vieilles connaissances. J'ignore si ce compte est encore actif. Nous avons cessé de le suivre il y a déjà deux ans. Mais rien ne vous empêche d'y jeter un coup d'œil, vous y apprendrez peut-être quelque chose d'intéressant.

*

Le petit sanctuaire baignait toujours dans sa quiétude pieuse et somnolente quand Turpin fut enfin débarrassé du bandeau. Ceux qui l'avaient reconduit disparurent en un souffle. Il se demanda s'il n'avait pas rêvé cette rencontre. Depuis la veille, il éprouvait la sensation que l'opium lui jouait des tours.

Il retrouva son chauffeur devant la grille et s'aperçut qu'il avait faim. À sa demande, ils firent halte dans la ville basse pour dévorer des kebabs. C'est en cherchant son briquet dans une poche de sa veste qu'il trouva un petit bout de papier plié en quatre. Il le déplia. Une seule ligne, dactylographiée, y figurait.

pmessand@iranonline.ir

*

Il revint à la résidence pour boucler son bagage et retrouver la délégation. Celle-ci se montra euphorique. La négociation devait se poursuivre mais elle paraissait bien engagée. Ils partirent dans un petit autobus pour l'aéroport. Le ministre manquait à l'appel, il devait rejoindre son troupeau un peu plus tard, juste avant l'embarquement.

Ils patientèrent longtemps dans le pavillon d'honneur en sirotant du thé et des sodas tièdes. On apprit que le ministre et ses deux homologues faisaient un détour par le bazar pour acheter des tapis. Turpin en profita pour narrer à Garcillac ses rencontres avec Cyrus Ebrahimi et l'espion anonyme.

– Il parlait, dis-tu, avec un accent oriental ?

– Oui. Les sonorités étaient plutôt celles d'un accent arabe. Palestinien. Ou levantin.

La stupeur se peignit sur le visage de Garcillac.

– Ça alors. Je me demande si tu n'as pas rencontré Anis Naccache en personne.

– Quoi ? L'auteur de la première tentative d'assassinat contre Bakhtiar ? Il vit ici ? À Téhéran ?

– Oui. Tu sais peut-être qu'il est libanais. Après sa libération en juillet 1990, il a gagné l'Iran. Il vit maintenant entre Beyrouth et Téhéran. Pour être franc, il est plutôt discret. On l'aperçoit parfois dans des réceptions à l'ambassade du Liban. Dans de telles occasions, l'enjeu pour les diplomates français consiste à l'éviter soigneusement.

– Tu penses que les services iraniens l'utilisent encore ?

– Je l'ignore. Mais cette histoire d'accent levantin m'intrigue. Je ne pense pas que beaucoup d'officiers iraniens du renseignement maîtrisent le français. Ils ont donc eu recours à un Libanais pour te parler. Ou à un Syrien…

– Mais pourquoi Naccache ?

– Je ne sais pas. Mais s'il existe ici un individu très au fait du dossier Bakhtiar, c'est bien lui.

Turpin n'eut pas le loisir de s'appesantir sur l'hypothèse glaçante de Garcillac. Les trois ministres entraient dans le terminal, poursuivis par une nuée de journalistes et de cameramen. Une dernière conférence de presse fut improvisée. Elle donna lieu à une scène plutôt cocasse car les trois hommes n'étaient pas d'accord sur le placement qu'ils devaient occuper face aux caméras.

Après de longues palabres, on opta pour le rang alphabétique des trois nations. Puis on se querella sur l'ordre de départ des avions.

On était sur le point d'embarquer quand le téléphone portable de Turpin sonna. Il s'isola dans un coin du salon pour décrocher.

– Turpin, c'est Alvarez. Vous êtes toujours à Téhéran ? Vous rentrez quand ?

– Je serai de retour à Paris demain matin.

– Bon, figurez-vous que j'ai du nouveau. Nous savons maintenant où est parti Messand le 16 août !

– Ah bon ! Où ça ?

– Je préfère ne pas vous le dire au téléphone. Dépêchez-vous de rentrer !

– Alvarez, donnez-moi au moins un indice.

La ligne se mit à grésiller. Turpin n'entendait plus qu'une succession syncopée de syllabes.

– Di… c'est… prem… va falloir… enter… gation…

La ligne fut coupée. Frémissant de curiosité, Turpin tenta de rappeler Alvarez. En vain. Le numéro sonnait maintenant occupé.

Une hôtesse d'accueil portant hedjab vint le chercher. Il était temps de partir, la délégation finissait de monter à bord. Il sortit du terminal et courut jusqu'à la passerelle. Il fut le dernier à embarquer.

7

Le voyage de retour fut interminable. Une fois le dîner servi, la plupart des membres de la délégation s'endormirent. Mais l'on percevait encore des éclats de voix dans la cabine avant.

Turpin se sentait profondément découragé. Le voyage à Téhéran n'avait été qu'un coup d'épée dans l'eau. La piste iranienne, qui avait semblé si prometteuse, se dérobait devant lui. Sauf si les Iraniens mentaient… Mais l'entretien avec l'espion lui avait causé forte impression. *Quelqu'un s'efforce de vous mettre sur une mauvaise piste.* Se pouvait-il que le meurtre de Messand ait comporté une mise en scène destinée à égarer les enquêteurs ? Il faudrait alors reprendre les choses depuis le début. Mais dans quelle strate de la vie de Messand se trouvait la vérité ? Dans quelle couche géologique de sa carrière allaient-ils, cette fois, devoir fouiller ? La destination de son voyage du mois d'août allait-elle placer l'enquête sur une nouvelle trajectoire ?

À son accablement s'ajoutait un vague dégoût, causé par l'hypothèse de Garcillac. Il n'entrait pas dans ses habitudes de prendre le thé avec des terroristes. Le rôle d'appoint que lui avait confié Mazières l'exposait désormais à des rencontres suspectes, voire dangereuses.

Garcillac émergea de la cabine avant, l'air amusé, et vint s'asseoir à côté de lui.

– Buren et Badalan viennent de se faire traiter de puceaux et de petits marquis.

– Par le ministre ?

– Oui. Il a un langage assez coloré. Tu aurais dû voir leurs têtes. Badalan avait la teinte d'une confiture de coings. Quant à Buren, j'ai cru qu'il allait vomir.

Ils commandèrent du café auprès d'un steward en uniforme de l'Armée de l'air.

– Dis-moi, Garcillac. Les Iraniens ont-ils évoqué la mort de Messand durant vos négociations ?

– Oui, le ministre iranien en a parlé au tout début. Il avait connu Messand personnellement, car il est au gouvernement depuis 1997.

– Il en a parlé en quels termes ?

– Disons que le format multipartite de la rencontre ne se prêtait pas vraiment à un long développement sur le sujet. Mais il a présenté ses condoléances, comme les Iraniens savent le faire.

– Ça sonnait juste ?

Garcillac prit un moment pour réfléchir.

– Assez, oui. Je ne me souviens pas de ses mots exacts, mais en gros, ça voulait dire que l'Iran avait perdu un ami. Dans la bouche d'un officiel iranien, un hommage comme celui-là est plutôt rare…

Ils survolaient la Bulgarie lorsqu'un brouhaha s'empara de la cabine. Garcillac partit aux nouvelles à l'avant de l'avion. Il faisait grise mine quand il revint.

– Le ministre vient de changer son plan de vol. Nous volons maintenant vers Bruxelles, où il veut aller présenter aux autres Européens le résultat des négociations.

– Combien de temps allons-nous rester à Bruxelles ?

– C'est là qu'est le problème, mon vieux. Le ministre ne repassera pas par Paris. De Bruxelles, il gagnera directement New York pour l'Assemblée générale. Ceux qui ne l'accompagnent pas, comme toi et moi, vont devoir rentrer en train.

*

Turpin ne put regagner Paris que le dimanche 14 septembre en fin de matinée. Après une nuit tronquée dans un hôtel près de la gare du Midi et deux heures de train, il se sentait de fort mauvaise humeur. Alvarez restait injoignable. Il fila d'abord récupérer Félix chez Jean-Baptiste Bruxel dans le 19e arrondissement et ramena le chien à sa mère, à l'autre bout de Paris.

– As-tu été gentil avec Félix ?

Amélia Turpin aurait été incapable de demander si le chien s'était montré gentil envers son fils. Turpin fit la moue mais resta coi. Il n'avait nulle envie d'expliquer à sa mère qu'il rentrait tout juste de Téhéran, et qu'il avait été contraint de confier l'animal à un tiers.

– Reste donc déjeuner, puisque te voilà chez moi.

L'invitation manquait singulièrement de chaleur. Il ne s'attarda pas et rentra chez lui.

Vers 18 heures, il put enfin parler à l'enquêteur de la DST qui lui donna rendez-vous deux heures plus tard à *La Gitane,* sur le boulevard de Grenelle. Les yeux rougis par le manque de sommeil et la fatigue du voyage, il retraversa Paris en se demandant si le voyage à Téhéran n'avait pas été une illusion.

Il en fit un récit succinct à Alvarez, lequel, ménageant ses effets, tardait à dévoiler ce qu'il avait découvert. Turpin lui communiqua l'adresse de courrier électronique donnée par l'espion iranien.

– Pourrez-vous en tirer quelque chose ? demanda-t-il.

Alvarez avait l'air alléché.

– Nous allons d'abord vérifier si ce compte est encore actif. Votre interlocuteur vous a dit qu'il n'en savait rien. Mais mon petit doigt me dit que s'il vous a donné cet indice, c'est que les Iraniens ont connaissance de quelque chose que nous ignorons. Reste à savoir s'ils ne cherchent pas à nous égarer. En nous faisant croire qu'ils nous mettent sur la bonne piste. Ce serait bien leur genre, non ?

Turpin pesa la question, le nez dans son verre de morgon.

– Bien sûr, c'est une possibilité. Mais étrangement, j'ai eu l'impression qu'il était sincère. Il y a une chose qui m'intrigue. Quand je lui ai fait remarquer les analogies entre le meurtre de Bakhtiar et celui de Messand, il a laissé entendre que nous pourrions être placés devant une mise en scène.

– L'assassinat de Messand ? Une mise en scène délibérée ?

– C'est ce qu'il a semblé vouloir dire… Il y a donc un point qu'il conviendrait de vérifier auprès de Philippe Amini : qui a eu connaissance des détails qu'il nous a livrés sur le *modus operandi* de l'attaque contre Bakhtiar ? Je veux dire, au-delà des enquêteurs, des agents du Parquet, des gens qui avaient à en connaître. Ces éléments ont-ils été plus largement diffusés ? Il importe que nous sachions cela.

– Vous avez raison. Je vais le lui demander.

– Bon, alors ? Vous allez me dire ce que vous avez découvert ?

Alvarez prit un air malicieux.

– Quelques jours avant votre départ pour l'Iran, il m'est venu une idée. Je suis parti de l'hypothèse selon laquelle Messand s'était peut-être rendu dans un des pays où il avait servi. Comme nous n'avons aucune trace de son départ depuis un aéroport français, j'ai supposé qu'il avait décollé d'une autre ville d'Europe. J'ai d'abord fait vérifier les départs pour Israël à Londres, Francfort et Rome autour du 16 août. Ça n'a rien donné. J'ai ensuite examiné la possibilité d'un voyage au Brésil, et j'ai interrogé nos collègues portugais. Rien non plus.

Il s'interrompit pour commander une seconde bouteille de vin. Turpin peinait à maîtriser son impatience.

– J'ai fini par me tourner vers nos collègues espagnols. J'ai conservé là-bas des contacts utiles qui datent de l'époque où je travaillais sur le terrorisme basque. Ils m'aiment bien, et mon nom n'y est pas pour rien. Ils ont examiné les registres de sortie du territoire à l'aéroport de Barajas pour la journée du 16 août. Et là, bingo ! Messand a bien quitté l'Espagne ce jour-là.

– Et où allait-il ?

– Au Chili. Il a embarqué à bord du vol Iberia 6833 qui décolle de Madrid à 23 h 40 et atterrit à Santiago à 9 heures le lendemain matin. J'ai aussi retrouvé la date de son retour, le 23 août, par le même chemin. Messand a donc passé une semaine au Chili.

Turpin se remémora les mots d'Élisabeth Janson-Smith. *Il m'a demandé de patienter parce qu'il avait froid et qu'il lui fallait enfiler son manteau.* Bon sang ! Pourquoi n'y avaient-ils pas pensé plus tôt ? Dans l'hémisphère Sud, le mois d'août tombait en plein hiver.

– Mais pourquoi est-il parti de Madrid ?

– Selon toute évidence, il tenait à couvrir ses traces. J'imagine qu'il s'est rendu à Madrid en train ou en autobus. C'était la meilleure façon de passer inaperçu. Les titres de voyage ne sont pas nominatifs.

– Et son passeport ?

– D'après le registre espagnol et les données qu'on y a trouvées, il s'est servi d'un vieux passeport diplomatique. Apparemment, votre ministère délivre encore des passeports dont il est possible de proroger la validité par simple signature d'un chef de poste ou d'un consul. Nous avons vérifié. Le passeport qu'il a utilisé avait été délivré à Paris en 1990. Il était valable cinq ans. Mais il a dû lui-même en proroger la validité deux fois, en 1995 à Jérusalem, puis à Téhéran en 2000. Il semble que le Quai d'Orsay n'assure pas un suivi très précis de ces pratiques.

Turpin, qui se sentait trop las pour réagir, ignora le reproche et s'abîma dans ses pensées. Autour de lui, la brasserie vivotait au rythme assoupi d'un dimanche soir. Les rares clients conversaient à voix basse et, sur l'arrière-fond des sifflements produits par les percolateurs, il songea qu'ils étaient sans doute revenus à la case départ. Ils allaient devoir reprendre l'enquête depuis le début, si c'était bien ce voyage au Chili qui contenait la clé du mystère de la mort de Messand. Mais comment s'y prendraient-ils pour explorer cette strate ancienne de sa carrière ? Farvardine n'était pas encore sa femme à cette époque-là. Et le ministère s'était montré incapable de mettre la main sur des agents ayant coïncidé avec lui à Santiago. C'était, au demeurant, aisément explicable. Messand, lorsqu'il était arrivé au Chili à l'été 1971, n'avait que vingt-huit ans. Il avait dû être le benjamin du poste. Tous ceux qu'il avait côtoyés là-bas étaient maintenant retraités ou décédés.

– Qu'allez-vous faire de ce nouvel élément ? finit par risquer Turpin.

– Rien encore, je le crains. Nous savons désormais où Messand s'est rendu, mais nous n'avons pas la moindre idée de ce qu'il a pu faire au Chili. Espérons que le compte e-mail qu'on vous a donné nous permettra de progresser.

– Vous pourrez y accéder sans disposer du mot de passe, j'imagine ?

– Ça, c'est dans nos cordes, répondit Alvarez avec un clin d'œil.

*

Quand il fut rentré chez lui, hébété de fatigue, Turpin eut encore la force d'appeler Jean-Baptiste, qui se montra perplexe :

– Une recherche sur le Chili, René ? Mais quel rapport avec votre voyage en Iran ?

Turpin lui-même peinait à croire à cette piste chilienne que venait de lui dévoiler Alvarez. Sans rien savoir de l'enquête, le jeune homme réagissait avec le même instinct. Suivant les instructions de son collègue, il tapa dans le moteur de recherche les mots *Chili+assassinat+politique+étranger* et laissa la machine vrombir quelques secondes.

– Voici, René, j'ai deux résultats sous les yeux. Le premier concerne un individu nommé Orlando Letelier del Solar. Attendez… Nommé par le président Allende ambassadeur aux États-Unis, il a ensuite enchaîné diverses fonctions ministérielles – diplomatie, intérieur, défense – jusqu'au coup d'État du 11 septembre 1973. Arrêté et torturé par la junte, il est parvenu à se réfugier aux États-Unis en 1974. Où il est mort. Assassiné le 21 septembre 1976, dans un attentat à la voiture piégée.

Un attentat ? Dans la capitale américaine ? Turpin soupira. Cela n'avait ni queue ni tête.

– Et l'autre ?

– C'est une affaire similaire, on dirait. Un général chilien, cette fois. Carlos Prats González, ex-commandant en chef de l'Armée de terre sous Allende, qui a trouvé la mort avec sa femme dans des circonstances rigoureusement identiques, à Buenos Aires en septembre 1974. Dans les deux cas, les articles de presse pointent du doigt la responsabilité d'une sombre conspiration internationale, le Plan Cóndor, qui aurait impliqué plusieurs gouvernements militaires de la région en vue d'une campagne d'assassinats d'opposants politiques sur l'ensemble du territoire des Amériques, avec la complicité plus ou moins avérée des États-Unis.

– Mais c'est fini depuis longtemps, cette affaire, non ?

– Attendez, je regarde… Oui, vous avez raison. Les opérations de Cóndor semblent avoir pris fin en 1980.

Turpin restait silencieux, respirant bruyamment dans le combiné. Selon ses souvenirs, la démocratie avait été rétablie au Chili en 1990. Même si l'impunité des crimes commis par la junte posait toujours problème, il était difficile d'imaginer que le Chili fût encore à la manœuvre pour dépêcher des sicaires à l'étranger. Ça ne tenait tout bonnement pas debout. Jean-Baptiste finit par reprendre d'une voix fluette :

– Vous ne voulez toujours pas me dire pourquoi vous me demandez toutes ces recherches, René ? L'Iran… Le Chili… Je me demande bien ce que vous fabriquez.

De nouveau, Turpin soupira, partagé entre son agacement et sa mauvaise conscience. Il crut presque discerner, à travers leur échange aveugle, l'expression boudeuse qui devait s'être peinte sur le visage enfantin de son jeune collègue.

– Vous avez raison, Jean-Baptiste. C'est injuste. Vous m'avez déjà tellement aidé. Mais à ce jour, c'est une affaire qui reste confidentielle. Je vous en parlerai dès que je le pourrai, je vous le promets.

Il mit fin à la conversation avec un sentiment de malaise, en se demandant s'il serait un jour à même d'honorer sa promesse.

*

Dès le lundi, il régna dans le ministère une atmosphère de vaisseau fantôme. La plupart des conseillers du cabinet avaient rejoint le ministre à New York, de même qu'une foule d'agents des directions géographiques qu'on avait dépêchés en renfort pour jouer les petites mains et faire de la figuration. Ceux restés à Paris n'auraient pas droit aux feux de la rampe. Largement désœuvrés, ils promenaient leur contrition de bureau en bureau et, déjeunant en petits groupes frileux dans le réfectoire déserté, ressemblaient à des portées de chiots orphelins. Jean-Baptiste Bruxel, qui découvrait ce paysage de désolation, se dit qu'il favoriserait peut-être les occasions de croiser Adrien, voire de prendre ses repas avec lui. Chacun voit midi à sa porte.

René Turpin goûtait, pour sa part, cette phase trop rare d'endormissement. Il aimait sentir battre, pour quelques jours, le pouls de la diplomatie française sur un rivage lointain, et retrouver à Paris le rythme lent des ambassades. En pénétrant dans le bureau du secrétaire général, il eut la sensation d'entrer dans un hall de gare en pleine panne d'électricité. Mazières, tassé au fond de la pièce dans son costume sombre, avait l'air égaré et vaguement mélancolique d'un voyageur de commerce qui vient de rater son train.

– C'est moi qui garde la boutique, Turpin, lui lança-t-il d'un ton morne. Même le directeur de cabinet du ministre a profité de l'absence de son maître pour prendre quelques jours de congé. Je me fais l'effet d'un gardien de phare à marée basse.

– Pour ça, il faudrait qu'il y ait de la lumière à projeter, grinça Turpin.

Mazières étouffa un gloussement.

– Vous n'avez pas tort. Notre rayonnement, comme on dit, n'est plus ce qu'il était. Enfin, je ne devrais pas me plaindre, car j'évite le souk de New York. Rendez-vous compte. Plus de cent quatre-vingts pays sont appelés à s'exprimer. Ils n'étaient qu'une cinquantaine en 1945, et c'était déjà la cacophonie. Alors maintenant… Quel cauchemar ! Prenez un instant pour vous représenter le ministre de Tonga à la tribune. De quoi va-t-il parler ? Du prix des kits de plongée ? Et celui d'Ouzbékistan ? Des cours du coton ? On devrait réserver la tribune de l'ONU aux États qui ont quelque chose à dire.

– Parce que la France a quelque chose à dire, d'après vous ?

– Allons, Turpin, pas de mauvais esprit. Vous savez bien que la France a toujours quelque chose à dire, même quand elle ne dit rien. Et puis, avec le ministre qui est le nôtre, nous ne risquons pas de rester silencieux. Mais c'est vous qui devez avoir des choses à me dire. Racontez-moi donc votre voyage en Iran.

Turpin lui fit un récit désenchanté de ses entretiens à Téhéran, en s'efforçant de n'omettre aucun détail. Il vit Mazières se raidir au fur et à mesure qu'il évoquait son étrange entrevue avec l'espion. Quand il eut fini, le secrétaire général l'observait fixement. S'ensuivit un long silence, finalement rompu par Turpin.

– Et nous savons maintenant où se trouvait Messand au cours de la seconde moitié du mois d'août.

– Ah bon ? Où ça ?

– Au Chili. Il semble qu'il y ait passé une semaine.

Il raconta ce qu'avait découvert Alvarez. Mazières l'observait toujours, figé comme une statue de sel, son visage dénué d'expression. Turpin fut presque surpris, au bout d'un moment, de voir ses traits enfin s'animer. Mazières hochait la tête d'un air incrédule.

– Je suis convaincu que les Iraniens mentent. Ils cherchent à nous enfumer. Vous ne croyez pas, Turpin ?

– Je ne sais pas. Ce n'est qu'un sentiment diffus, mais mon interlocuteur anonyme m'a semblé sincère. Et puis comment expliquez-vous que les Iraniens cherchent à se disculper alors que nous n'avons proféré aucun soupçon à leur encontre ?

– Précisément. Ce qui me frappe dans votre récit, c'est qu'ils connaissaient manifestement à l'avance la raison de votre présence dans l'avion du ministre. Ils savaient l'objet de votre venue à Téhéran, et ils s'y sont soigneusement préparés. Et puis n'oubliez pas que ces gens-là sont des experts dans l'art de la dissimulation. Je ne sais pas si votre éminent philosophe vous l'a dit, mais c'est même une pratique centrale du chiisme. La *Taqîya*, c'est-à-dire la possibilité de dissimuler sa croyance pour parer aux persécutions. Moi aussi je lis des livres, Turpin. Vous imaginez ce qui en découle. Si on peut mentir sur sa foi, on peut mentir sur tout.

– Et cette histoire de Chili, alors ?

– Laissons la DST explorer aussi cette piste. Il ne faut rien négliger, bien sûr. Du reste, ce voyage de Messand à Santiago n'a peut-être rien à voir avec la cause de son assassinat. Imaginez-vous. Qu'est-il allé faire secrètement dans ce drôle de pays ? Un pays long comme un jour sans pain… On ne peut exclure qu'il ait eu là-bas une maîtresse. Tout homme cultive un jardin secret. Mais il me semble en tout cas prématuré d'abandonner la piste iranienne. À mes yeux, c'est encore la seule qui tient la route. Et votre voyage à Téhéran ne l'a nullement affaiblie, au contraire. Continuez à creuser, Turpin.

*

De retour dans son bureau, il trouva Bruxel en entretien avec une diplomate israélienne d'un âge avancé. Ils conversaient en hébreu, et le jeune homme aux boucles blondes semblait livré tout entier aux sortilèges de cette femme vêtue de pourpre qui faisait tinter à ses poignets d'innombrables bracelets métalliques. Turpin contempla cette scène digne d'un conte de Grimm, s'attendant presque à voir la diplomate sortir une pomme rouge de son sac Vuitton.

– Nous parlons de la Feuille de route et du Quatuor, balbutia Jean-Baptiste sur un ton coupable. Vous savez, cette initiative conçue pour aboutir à un règlement permanent du conflit israélo-palestinien.

Turpin se souvint des mots de Mazières sur l'intransigeance d'Israël et ne put réprimer un sourire sarcastique.

– Vous n'avez nul besoin de vous justifier, mon ami. Bon courage. Pour ma part, je ne connais qu'un quatuor, celui d'Alexandrie. Dans mon souvenir, ça finit plutôt mal.

Son téléphone sonna alors que Bruxel, qui n'avait sans doute jamais lu Durrell, le dévisageait d'un air absent. C'était Philippe Amini.

– Turpin, Alvarez m'a transmis votre question ce matin.

– Vous avez des éléments à me donner ?

– Oui. Écoutez, c'est très simple. Dans les semaines qui ont suivi le meurtre de Bakhtiar, il est évident que très peu de gens ont eu accès aux éléments de l'enquête. Seuls l'Élysée, Matignon, le Quai d'Orsay et la chancellerie ont été destinataires de notes d'information, eu égard aux implications diplomatiques de cette affaire.

– Très bien.

– Mais ça n'a pas duré. En 1992, deux journalistes d'Europe 1 ont publié un ouvrage d'investigation sur l'assassinat de Bakhtiar. Une enquête très poussée. La plupart des détails y figurent.

– La façon dont il a été tué ? Le vol de sa montre ?

– Oui, tous ces détails y sont. Autant dire que c'est tombé dans le domaine public depuis longtemps.

En raccrochant, Turpin songea que l'espion rencontré à Téhéran venait de marquer un point. L'hypothèse d'une mise en scène, conçue pour donner au meurtre de Messand les même contours que celui de Bakhtiar, tenait la route, quoi qu'en dise Mazières. Le mystère s'épaississait. Il ne leur resterait bientôt plus qu'à élever leurs prières vers l'archange Gabriel, saint patron des ambassadeurs, ou vers sainte Rita…

Il décrocha de nouveau et composa le numéro de Farvardine Messand, laquelle finit par répondre après une dizaine de sonneries. Turpin lui demanda si, à sa connaissance, son mari avait gardé des contacts datant de son séjour au Chili.

– Très peu, à ce que j'en sais. À part Mme de Morteau.

– Pardon ? Qui ça ?

– Hélène de Morteau, la veuve de son ambassadeur à l'époque du coup d'État. Pierre lui rendait visite une fois par an, généralement juste avant Noël.

– Vous savez où elle réside ?

– Quelque part en banlieue, au sud de Paris. Attendez, je vais essayer de vous trouver ses coordonnées.

*

En fin de journée, Turpin retrouva Alvarez dans le café en face du ministère. L'enquêteur arborait un air espiègle quand il posa devant le diplomate une feuille de papier.

– Nous avons accédé à la messagerie iranienne de Messand. Ça n'a pas été trop difficile.

– Alors ? La pêche est bonne ?

Alvarez ne parut pas remarquer le ton légèrement sarcastique de Turpin, que ces méthodes mettaient mal à l'aise. Il n'aimait pas trop l'idée d'aller fouiller dans le jardin secret de Messand.

– Il semble que Messand lui-même ait fait le grand ménage dans sa boîte de messagerie il y a déjà longtemps. Il faudra voir si nous parvenons à reconstituer ses échanges au cours des dernières années. À ce jour, en tout cas, nous n'y avons trouvé qu'un seul message, envoyé à Messand le 22 juillet. Regardez par vous-même. C'est plutôt laconique, comme vous allez pouvoir le constater.

Turpin se pencha sur la feuille de papier et y reconnut le tirage imprimé d'un message électronique.

<angnav@yahoo.com> Tue, Jul 22, 2003 at 4 : 30 PM
To : <pmessand@iranonline.ir>

Creo que la encontré.

– C'est tout ?

– Oui, c'est tout. Mais c'est probablement le message qui a déclenché son voyage au Chili.

– Comment pouvez-vous dire ça ?

– Grâce à l'adresse IP, c'est-à-dire l'identifiant personnel de la machine depuis laquelle ce message a été envoyé. Grâce à ce numéro, nous avons d'ores et déjà pu établir qu'il a été expédié du Chili.

– Et vous allez pouvoir trouver l'identité de l'expéditeur ?

Alvarez prit un air contrit et plongea dans son rhum-coca en faisant tanguer les glaçons contre les parois de son verre.

– Malheureusement, c'est un peu plus compliqué que ça. Grâce à l'adresse IP, on peut trouver la position géographique d'envoi de l'e-mail, l'adresse de connexion, le logiciel qui a expédié le courrier, le fournisseur d'accès, et la référence et la marque de l'ordinateur utilisé. Vous voyez, c'est un numéro d'identification qui est attribué de façon permanente à chaque appareil connecté à un réseau informatique. Mais il ne nous donne pas le nom de l'internaute. L'adresse IP peut seulement identifier une machine, pas un individu. De plus, l'expéditeur de ce message a une adresse très générique.

Turpin restait songeur. *Creo que la encontré*. Je crois que je l'ai trouvée. Qu'avait bien pu trouver le mystérieux correspondant de Messand ? Il se souvint soudain des mots d'Élisabeth Janson-Smith. *Il m'a semblé un peu tendu vers la fin juillet, juste avant de partir en congé*, avait-elle dit. *Il se montrait un peu plus fébrile que d'habitude*. Était-ce ce message sibyllin reçu le 22 juillet qui avait causé l'inconfort de Messand ?

– Vous pensez à la même chose que moi ? risqua Alvarez.

– Quoi ? Une femme ? Oui, c'est tentant. Encore que la phrase soit suffisamment laconique pour laisser ouvertes d'autres possibilités. *Creo que la encontré*. Une information ? Une vérité ? Une solution ? Une maison ? Tous ces mots sont aussi du genre féminin en espagnol.

Mazières avait-il deviné juste en évoquant l'hypothèse d'une maîtresse dissimulée dans le lointain Chili ? La courte phrase contenue dans l'e-mail évoquait pourtant autre chose. Peut-être une personne ou une chose perdue, puis retrouvée. Et l'expéditeur laissait planer un doute. *Je crois que...*

– Qu'allez-vous faire de ce message ? demanda Turpin. Est-ce une piste suffisante pour réorienter l'enquête ?

– Mes supérieurs le pensent. Ce message, combiné au fait que nous savons désormais que Messand s'est rendu au Chili, nous intrigue. Nous allons tenter de remonter la piste, au moins jusqu'à l'ordinateur depuis lequel le message a été envoyé.

– En espérant trouver une personne derrière l'adresse IP ?

– Bien sûr, ce serait le cas de figure idéal. Mais il est également possible que cet e-mail ait été expédié depuis un cybercafé. Auquel cas il sera plus ardu de retrouver la trace de l'expéditeur. Ma direction veut que je me rende à Santiago, muni d'une commission rogatoire. Je suis l'un des seuls à la DST à parler couramment espagnol. Je m'envole demain soir.

8

La pluie striait violemment les vitres de son wagon, donnant au paysage de banlieue qu'il traversait un aspect sale et déformé. La rame brinquebalait de gare en gare et, après l'arrêt à Arcueil, le vacarme d'un groupe de jeunes scouts le tira un moment de sa rêverie incommode. *Continuez à creuser*, lui avait intimé Mazières. Qu'entendait-il par là ? Deux semaines plus tôt, quand le secrétaire général l'avait convoqué, il s'était agi d'assister les enquêteurs et d'approcher pour leur compte des agents du Quai d'Orsay. Était-il censé aller au-delà ? En laissant défiler sur sa gauche des rangées de pavillons aplatis par la pluie, il songea qu'il avait déjà franchi la limite : il était bel et bien sorti de son rôle en questionnant Cyrus Ebrahimi et en acceptant la rencontre avec l'espion iranien. Mais pouvait-il vraiment se permettre d'agir comme un enquêteur, en soumettant à sa guise de parfaits inconnus à des interrogatoires ?

Ça n'avait pas l'air de gêner Mazières qui, jour après jour, semblait vouloir conférer à sa mission une forme plus active, plus offensive. Comme si, insidieusement, le Quai d'Orsay cherchait à s'abriter derrière la DST pour mener sa propre enquête. Était-ce parce que Mazières ne croyait pas à la piste chilienne ? Il avait expressément enjoint à Turpin de garder l'Iran dans sa ligne de mire. Celui-ci ne savait plus que penser. Il était rentré de Téhéran plutôt convaincu par les arguments de l'espion, mais le secrétaire général l'avait de nouveau déstabilisé. Un gros point d'interrogation continuait en outre de peser sur l'enquête : pourquoi le manuscrit de Messand avait-il été dérobé ?

Hélène de Morteau habitait Sceaux, dans une petite villa blanche voisine du parc qui avait été, jadis, le domaine personnel de Colbert. La pluie avait cessé lorsqu'il sonna. L'air, chargé de buée, sentait le sureau et le buis mouillé. Il fut surpris par le port altier et élégant de son hôtesse qui, bien que nonagénaire, semblait en pleine possession de ses moyens. Elle l'introduisit dans un grand salon ouvert sur le jardin, où il fut d'emblée saisi par l'aspect massif et uniforme du mobilier. Il n'y avait là rien du capharnaüm exotique des Messand. Mme de Morteau l'observait du coin de l'œil, l'air amusé.

– Vous vous demandez ce que je fais au beau milieu de tout ce mobilier Empire, lâcha-t-elle avec un petit rire. Laissez-moi vous expliquer. Le premier poste de mon mari au Quai d'Orsay a consisté à remettre en état la demeure de Longwood, à Sainte-Hélène, là où l'Empereur a passé l'essentiel de son dernier exil et où il s'est éteint. Le domaine, je ne vous apprends rien, appartient au ministère des Affaires étrangères.

Elle parcourut du regard les tables en acajou, les armoires à glace, les nombreuses horloges avant de poursuivre.

– Henri a passé six mois sur l'île. C'est là qu'il s'est pris de passion pour tout ce qui touche à Napoléon. J'ignore si c'est l'isolement, sur ce rocher battu par les vents, qui a finalement transformé un simple intérêt en manie. Lui-même en plaisantait volontiers, en affirmant que l'esprit de l'Empereur, qui hanterait encore ces lieux, s'était emparé de lui. Toujours est-il qu'à son retour, il s'est mis à collectionner les objets, les manuscrits… et les meubles, bien sûr. Voilà le résultat. Mon mari est mort il y a plus de vingt ans, mais j'ai tout gardé en l'état. C'est comme si j'étais logée à la Malmaison ! Mais veuillez vous asseoir.

Turpin prit place sur un fauteuil à pattes de lion, entre un lit bateau et un guéridon tripode. C'est drôle, se dit-il une fois de plus, comme la Carrière imprime sa marque, d'une façon ou d'une autre, sur chaque agent. À quoi ressemblerait mon appartement si j'avais débuté en Mongolie ? À une yourte ?

Elle lui servit du café et il lui expliqua son rôle d'appoint dans l'enquête. Elle se montra, comme la plupart des familiers de Messand, très attristée par sa mort.

– Depuis le décès de mon mari, il mettait un point d'honneur à garder le contact avec moi. Lorsqu'il était en poste, il m'écrivait pour les fêtes. Et quand il résidait à Paris, il s'efforçait toujours de me rendre visite juste avant Noël.

– Vous ne l'aviez donc pas revu depuis décembre de l'année dernière ?

– C'est exact.

– Madame de Morteau, Pierre Messand vous avait-il informée d'un voyage au Chili qu'il comptait faire au cours de l'été ?

– Non. Il ne m'avait prévenue de rien. Il est retourné à Santiago ?

Sans entrer dans les détails, il lui expliqua que le séjour de Messand au Chili éveillait l'intérêt des enquêteurs. Patiemment, il amena la vieille dame à lui narrer cette période ancienne. Au débit fluide de ses paroles, il eut l'impression qu'elle prenait plaisir à cette évocation.

– Mon mari et moi sommes arrivés au Chili à la fin de 1971. Nous venions du Québec, où Henri avait été consul général. Santiago, ce fut son premier poste d'ambassadeur. Ce fut aussi son dernier poste, car il était déjà proche de la retraite. Nous étions donc assez enthousiastes. Allende était président depuis un an. Pablo Neruda, qui était encore ambassadeur du Chili à Paris, avait reçu le prix Nobel de littérature quelques mois plus tôt…

– Pierre Messand vous avait précédés au Chili, n'est-ce pas ?

– Oui, il était arrivé trois ou quatre mois avant nous. C'est lui qui nous a guidés au début de notre séjour. Mon mari lui en était très reconnaissant. Ce que nous ignorions, c'est que Pierre jouerait de nouveau un rôle de premier plan au moment du coup d'État.

– Comment cela ?

– Eh bien, voyez-vous, le hasard a voulu que nous soyons en France le 11 septembre 1973. Nous étions rentrés pour le mariage d'un de nos fils. Et là, patatras ! À l'époque, se rendre au Chili depuis la France était toute une affaire. Les vols n'étaient pas si fréquents, et ils étaient très longs, avec je ne sais combien d'escales. Le temps que nous trouvions un avion pour regagner Santiago, dix jours s'étaient écoulés. C'est donc Pierre, en tant que chargé d'affaires, qui a dirigé tout seul l'ambassade durant ces premières journées.

– Vous voulez parler de l'accueil des réfugiés ?

Plongée dans ses souvenirs, Mme de Morteau sembla ne pas entendre. Elle poursuivit, le regard abîmé dans la glace d'une psyché montée sur deux colonnes :

– Nous avons dû revenir à Santiago le 21 septembre. Je me souviens qu'Henri rapportait de Paris les insignes de grand officier de la Légion d'honneur, qu'il devait remettre à Pablo Neruda. Mais il n'en a même pas eu le temps. Le poète est mort deux jours plus tard. Sa maison de Santiago avait été saccagée et pillée par les militaires. Nous avons assisté à ses funérailles dans le Cementerio general. C'était bien triste. Allende s'était suicidé. La plupart des membres de son gouvernement étaient détenus à Dawson, une île glaciale tout au sud du Chili, dans le détroit de Magellan. Voilà le Chili que nous avons trouvé à notre retour…

– Et Pierre ? Il s'occupait des réfugiés ? insista Turpin.

– Au début, les toutes premières semaines, les gens que nous avons accueillis étaient pour l'essentiel des Français et leurs conjoints. Ils venaient s'abriter à l'ambassade dans l'attente d'un avion qui les ramènerait en France. C'est Pierre qui s'est chargé de leur accueil, dès que s'est produit le coup d'État. Mais au bout de trois ou quatre semaines, nous avons observé que la répression devenait féroce et systématique. C'était terrible. La résidence est située au bord du Mapocho, un torrent qui traverse Santiago d'est en ouest. Eh bien, chaque matin, l'on découvrait des cadavres dans les herbes du fleuve. Des corps affreusement mutilés. La nuit, c'était le couvre-feu. On était réveillés par des coups de feu, des tirs de mitraillette. C'est là que l'afflux des Chiliens a vraiment commencé. D'abord dans les ambassades latino-américaines. Puis chez nous. Chez les Italiens aussi. Les Suédois…

– À l'ambassade ou à la résidence ?

La vieille dame soupira.

– Sur les deux sites, monsieur Turpin. Les deux bâtiments se sont très vite remplis. Au total, de septembre à décembre, je crois me souvenir que nous avons accueilli plus de six cents personnes. Ces malheureux dormaient où ils le pouvaient, dans les bureaux de la chancellerie, les couloirs, les salons de la résidence. Il y avait des matelas pliés partout. On bouchait les fenêtres avec des journaux.

– Paris vous laissait faire ?

– Dans mon souvenir, la position initiale du Quai d'Orsay était plutôt frileuse. Mais pour le président Pompidou, il fallait faire tout le possible sur un plan humanitaire. Mon mari a interprété cela comme un feu vert. Alors nous nous sommes organisés tant bien que mal. L'Administration a libéré des crédits. Et l'équipe de l'ambassade était formidable, chacun y a mis du sien, de Pierre aux agents consulaires, qui prenaient leur tour pour m'accompagner faire les courses et transmettre le courrier clandestin de tous ces pauvres gens. Même notre portier a joué son rôle, en faisant le guet au portail et en facilitant l'entrée des réfugiés.

– Que faisait exactement Pierre Messand ?

– Eh bien, avec mon mari, il travaillait tout d'abord à obtenir des sauf-conduits pour les réfugiés. C'était un travail harassant, qui relevait de longues palabres avec la junte. Une fois les sauf-conduits obtenus, on organisait un convoi pour l'aéroport, dans un autobus de l'Alliance française. Ceux qui étaient autorisés à partir étaient escortés quasiment jusqu'à l'avion par un diplomate de l'ambassade. Les départs avaient lieu le mercredi et le samedi, jours des vols Air France pour Paris. Pierre était très affairé. Il avait aussi en charge le site de la chancellerie.

– Comment cela ?

– Eh bien, voyez-vous, pour laisser à mon mari les coudées franches dans sa fonction d'ambassadeur, Pierre et moi nous étions répartis les rôles. Je m'occupais pour l'essentiel des réfugiés de la résidence, tandis qu'il avait en charge le campement de la chancellerie. Et nous nous relayions pour assurer le ravitaillement.

Elle se mit à rire.

– Quand on y songe, c'était assez folklorique ! Je circulais dans une vieille Dyane et sortais tôt le matin pour aller acheter des dizaines de kilos de pain, ou des légumes au marché de La Vega. Pierre en faisait autant. Mais les produits manquaient. Nous avons fini par créer un potager dans le jardin de la résidence.

Une lumière de fin d'après-midi perça les nuages et nimba le mobilier impérial d'un éclat doré. Turpin sentait croître son admiration pour la vieille aristocrate, assise dignement devant lui au milieu de ce sanctuaire bonapartiste, qu'il peinait à imaginer dans un rôle d'activiste humanitaire. À trente années de distance, elle racontait ces semaines d'horreur avec naturel et précision.

– Vous évoquiez tout à l'heure la période de septembre à décembre 1973. Le flux des réfugiés s'est tari par la suite ?

– Oui, il s'est tari, mais pour une raison bien précise. Vers la mi-novembre, la junte nous a fait savoir qu'elle ne nous délivrerait plus de sauf-conduit à compter du 10 ou du 11 décembre, je ne me souviens plus exactement. Le dernier grand départ vers l'aéroport dut avoir lieu le 12 ou le 13 décembre.

– Donc, du jour au lendemain, les bâtiments de l'ambassade ont été complètement vidés ?

– Pas exactement. Il nous est resté sur les bras une poignée de personnes auxquelles la junte avait catégoriquement refusé de délivrer des sauf-conduits. En plus de cela, quelques intrépides ont continué à sauter par-dessus nos grilles après cette date fatidique de décembre. Pour ces gens-là, il a fallu chercher d'autres solutions, en contactant des organisations clandestines capables de les faire sortir du pays. Ils ont tous fini par partir, au compte-gouttes, les uns après les autres.

Mme de Morteau commençait à donner des signes de fatigue et Turpin décida de mettre fin à l'entretien. Alors qu'elle le reconduisait vers le vestibule, il tenta tout de même sa chance.

– C'est une question un peu délicate, mais vous souvenez-vous si Messand a aimé une femme, au Chili ?

Elle répondit avec assurance :

– Il était très discret. Mais mon mari m'a raconté une fois que Pierre avait le béguin pour une des jeunes réfugiées, une Chilienne accueillie à l'ambassade.

Turpin sentit soudain renaître son intérêt.

– Savez-vous ce qui lui est arrivé ? Est-elle partie en France ?

– Tout ce que je sais, c'est qu'elle comptait parmi le petit groupe de réfugiés dont je vous parlais à l'instant, ces pauvres gens auxquels la junte refusait l'octroi de sauf-conduits, qui sont restés coincés chez nous après la date couperet de décembre. Mais je ne sais plus si elle avait gagné l'ambassade avant ou après cette date. Et j'ignore totalement ce qui a pu lui arriver par la suite. J'imagine qu'elle a fini, comme tous les autres, par parvenir à quitter l'ambassade par des moyens clandestins.

– Vous connaissez son nom ? Pierre Messand en parlait-il encore ?

– Je n'ai jamais su son nom. Et Pierre ne m'en a jamais parlé, ni à Santiago, ni plus tard à Paris. Je vous l'ai dit, il était très discret.

*

Le jour où Turpin s'entretenait avec Hélène de Morteau fut aussi le jour où Jean-Baptiste Bruxel s'enhardit à inviter Adrien Durrieu à dîner. Comme il se l'était promis, il avait mis à profit le désœuvrement régnant au ministère pour se rapprocher du jeune énarque. D'un déjeuner à l'autre, celui-ci semblait prendre goût à leurs échanges. Ils se découvrirent une passion commune pour la littérature israélienne ; Amos Oz et ses nouvelles entrelacées ; les textes crépusculaires d'Appelfeld. Que Jean-Baptiste pût les lire en hébreu impressionnait Adrien.

Lui-même, sur un tout autre plan, se montrait divertissant en rapportant les histoires salées qu'il collectait dans son service. L'Inspection générale était à la fois le Saint-Office du ministère et son confessionnal. On y traquait l'hérésie comme le péché véniel, et Adrien se plaisait à narrer telle ou telle visite d'ambassade qui avait mal tourné : ici, un trafic d'alcool ; là, un chef de poste qui battait ses gens ; là-bas, encore, un agent qui renvoyait par valise diplomatique son linge sale à sa femme. Ces histoires, parfois amusantes, plus souvent tristes, peignaient sous les yeux novices de Jean-Baptiste un tableau étrange et vaguement inquiétant, qui mêlait viscosité coloniale et mesquinerie contemporaine. Espérant que la routine et le désenchantement ne le jetteraient pas, un jour, dans ces ornières, il préférait encore le destin d'un diplomate lubrique : ce péché-là, l'Inspection le sanctionnait rarement.

Ayant appris au détour d'une conversation que l'épouse d'Adrien, fonctionnaire au ministère de l'Outre-Mer, effectuait une mission de deux semaines en Guadeloupe, Jean-Baptiste proposa donc un dîner. À sa grande surprise, Adrien acquiesça. Rendez-vous fut pris pour le vendredi soir.

*

Turpin put joindre Alvarez dans la soirée de ce 17 septembre. L'enquêteur, arrivé le matin même à Santiago, se remettait à peine de ses quinze heures d'avion et n'avait pu qu'effleurer sa collaboration à venir avec les carabiniers du Chili.

Turpin lui narra sa rencontre avec Mme de Morteau. Malgré sa fatigue, Alvarez dressa l'oreille quand le diplomate évoqua la jeune réfugiée chilienne dont Messand semblait s'être épris.

– Elle ne vous a rien dit de plus, cette dame ?

– Non, elle tenait l'histoire de son mari, malheureusement décédé il y a plus de vingt ans. C'est un fil assez ténu. Du reste, à supposer que nous soyons à la recherche d'une femme, rien ne nous dit avec certitude qu'il s'agit de celle-là. Messand a résidé trois années au Chili. Il était jeune et fringant. Il n'est pas impossible qu'il ait collectionné les conquêtes…

Turpin perçut la respiration lourde et lointaine d'Alvarez, qui paraissait réfléchir. Il entendait des coups de klaxon résonner en arrière-plan.

– Non, Turpin, reprit l'enquêteur d'une voix pâteuse. Quelque chose me dit que nous devons chercher à savoir ce qui est arrivé à cette femme-là. Après deux semaines d'enquête, avouez que nous commençons tous deux à connaître Messand. Ce n'était manifestement pas un cavaleur. C'était un type intense, droit, loyal. Quel homme écrit encore des poèmes à sa femme après dix ans de mariage ? Et puis, personne n'a disparu au Chili avant le coup d'État. C'est forcément elle. Une jeune femme coincée à l'ambassade, qu'on ne parvient pas à faire partir pour la France par la voie légale, et qui disparaît dans la nature après décembre 1973. Il a dû lui arriver quelque chose. Sinon, elle aurait sans doute recontacté Messand. Ça colle avec le message anonyme. *Creo que la encontré.*

Un autre silence s'ensuivit. Turpin reconnut intérieurement que le raisonnement d'Alvarez tenait la route. Si ténu fût-il, le fil livré par Mme de Morteau méritait d'être déroulé.

– Turpin, poursuivit Alvarez, où sont conservées les archives des postes ? Chaque ambassade garde-t-elle ses propres documents ? Sont-ils détruits ?

– Rien n'est détruit. Les postes font des versements réguliers à la direction des Archives. En général, tous les cinq ans. Les archives de cette époque-là ont dû être rapatriées il y a longtemps.

– Où se trouvent-elles ?

– À Paris, au Quai d'Orsay.

– Alors allez-y, Turpin, vous y découvrirez peut-être des choses intéressantes. De mon côté, je vous rappelle dès que j'ai du nouveau concernant notre mystérieux internaute.

*

L'aile abritant les archives diplomatiques longeait la rue de l'Université. Même s'il suffisait de descendre une volée d'escaliers pour l'atteindre, c'était un monde à part, peuplé d'ombres et de silences, où Turpin ne s'était rendu qu'une fois lors de son entrée au ministère. On lui avait montré la cohorte de rayonnages mobiles, commandés par des poignées rotatives évoquant les écoutilles d'un sous-marin, qui renfermaient des siècles de traités et de correspondances.

Il fut accueilli, dans un coin de la salle de lecture, par une dame âgée à laquelle il demanda la correspondance politique de Santiago du Chili pour les années 1973 et 1974, ainsi que les dossiers relatifs à l'accueil des réfugiés.

– Ce sont des documents bien anciens que je sollicite, dit-il en s'excusant. J'espère que ça ne vous causera pas trop de tracas.

Elle le regarda d'un air espiègle.

– Anciens, anciens... N'exagérons rien, monsieur Turpin. Nous avons ici des édits signés de la main de François Ier. Quant à moi, j'ai débuté aux Archives sous Maurice Couve de Murville. Alors, votre histoire de Chili, ça n'est pas si vieux que ça !

Il n'eut à patienter qu'une demi-heure et en profita pour griller deux cigarettes dans la cour. À son retour, deux cartons jaunis l'attendaient sur une table.

La lecture des correspondances politiques ne lui apprit pas grand-chose, mais il tenait à s'imprégner du contexte. Il fut malgré tout vite déçu de constater la difficulté à distinguer la plume de Messand parmi les feuillets qu'il avait sous les yeux : à l'époque, l'identité des rédacteurs n'apparaissait pas sur les télégrammes, où seul figurait le timbre du chef de poste.

Il lut d'un œil distrait les correspondances envoyées avant le coup d'État. Jusqu'au 11 septembre, la prose du poste avait reflété l'activité classique et routinière d'une ambassade. Henri de Morteau rapportait ses échanges réguliers avec les autorités chiliennes sur des sujets tels que la construction par la France du métro de Santiago ou d'usines automobiles. Les Chiliens s'inquiétaient de la récurrence, depuis 1966, des essais nucléaires français qui se déroulaient alors à l'air libre sur l'atoll de Mururoa. En termes d'analyse politique, l'ambassade décrivait avec discernement les faiblesses du gouvernement de l'Unité populaire, en pointant notamment du doigt les excès commis par les mouvements d'extrême gauche – confiscations de propriétés terriennes, occupations d'usines. Elle relatait la montée des mécontentements, la grève des transporteurs routiers, et la nervosité croissante des forces armées. Turpin reconnut au passage le nom de Carlos Prats, ce général loyaliste assassiné plus tard à Buenos Aires, qui était parvenu à la fin de juin 1973 à étouffer une première tentative de coup d'État.

Le 11 septembre marquait, à l'évidence, une violente rupture. Durant les jours où il avait été chargé d'affaires, Messand s'était employé, tant bien que mal, à décrire la structure du nouveau pouvoir. Mais la confusion régnait. La prééminence du général Pinochet au sein de la junte ne s'était vraiment manifestée qu'après deux à trois semaines. Comme l'avait rapporté Mme de Morteau, l'ambassade s'était concentrée les premiers temps sur le sauvetage des Français, marchandant parfois, à la porte des centres de détention, la libération de tel ou tel individu. Début octobre commençait l'afflux des réfugiés chiliens. Le poste décrivait des scènes déchirantes : jeunes gens blessés qui parvenaient malgré tout à sauter les grilles durant la nuit, conjoints séparés, parents éplorés à la recherche de leurs enfants. Mme de Morteau avait également bonne mémoire s'agissant de la date fatidique à partir de laquelle la junte avait cessé de reconnaître à la France le droit d'asile : à compter du 11 décembre 1973, plus aucun sauf-conduit n'avait été délivré. Sa lecture apprit à Turpin que, parmi les réfugiés encore coincés à l'ambassade, les derniers à pouvoir la quitter l'avaient fait en juillet 1974. La femme qu'avait aimée Messand se trouvait-elle parmi eux ?

Il ouvrit le carton d'archives consacré aux réfugiés et y trouva plusieurs dossiers, pour l'essentiel dévolus à la logistique d'accueil : demandes de crédits envoyées par le poste à l'Administration centrale, factures d'achat de vivres et de location de véhicules (dont l'autobus de l'Alliance française qui servait aux convois vers l'aéroport), devis de remise en état de la résidence après la crise.

Il y avait, curieusement, assez peu de choses relatives aux réfugiés eux-mêmes. Turpin ne trouva que quelques biographies en bonne et due forme, rédigées avec soin parce qu'elles concernaient à l'évidence des personnalités de premier plan : ministres du gouvernement Allende, ambassadeurs, leaders de la Gauche chrétienne. Puis il songea avec indulgence que les diplomates de la chancellerie, débordés par la situation, n'auraient jamais pu trouver le temps de dresser un portrait détaillé de chacun des quelque six cents réfugiés.

Dans une sous-chemise verte enfouie au fond du carton, il finit par découvrir ce qu'il cherchait : des listes de noms. Le poste avait, à partir du 5 octobre 1973, dressé chaque vendredi un décompte précis des réfugiés qu'il accueillait. D'une semaine sur l'autre, la liste évoluait. De nouveaux noms y faisaient leur apparition, tandis que d'autres disparaissaient. On pouvait donc supposer que ceux n'y figurant plus étaient partis pour la France ou avaient, d'une façon ou d'une autre, pu quitter l'ambassade.

Turpin fut toutefois surpris de constater que tous les noms avaient été tronqués : chaque prénom se réduisait à une initiale, de même que le matronyme, qui figure toujours, dans les pays de langue espagnole, après le nom patronymique. Les lettres H et F, apparaissant entre parenthèses, étaient à l'évidence une désignation de genre.

```
C. IGLESIAS G. (H)
F. NUNEZ M. (H)
I. FUENTES S. (F)
```

Il fit signe à la vieille archiviste et l'interrogea en lui montrant les listes : savait-elle pourquoi le poste avait procédé de cette façon ?

– J'imagine, dit-elle en retirant ses lunettes, qu'il s'agissait d'une mesure de sécurité. Pour le cas où les écrits du poste seraient lus par des yeux indiscrets, y compris au sein même de l'ambassade. Même si nos diplomates négociaient avec la junte l'octroi des sauf-conduits, il était inutile que celle-ci sache avec précision qui était accueilli chez nous. Au moins jusqu'au départ des heureux élus pour la France. Certains d'entre eux étaient activement recherchés, je me permets de vous le rappeler.

Turpin la remercia d'un grognement. Elle avait raison, bien sûr. Le poste avait mis en œuvre une mesure élémentaire de prudence. Mais cela n'allait pas lui faciliter la tâche. Se fiant au récit de Mme de Morteau, il rechercha dans la liasse la première liste établie après le 11 décembre. Il la trouva rapidement. Elle portait la date du vendredi 14 décembre et contenait sept noms :

C. ANTUNEZ G. (H)
R. BALMACEDA. P. (H)
J. EYZAGUIRRE M. (H)
A. SEPULVEDA Z. (H)
A. LLOYD G. (F)
M. PINTO G. (H)
B. SILWAN B. (H)

Son pouls s'accéléra. Une femme, une seule, figurait donc sur la première liste envoyée après le 11 décembre. Était-elle celle qu'il cherchait ? Qui pouvait bien se cacher derrière ce nom mutilé ? Il joua un moment à inventer des combinaisons : Amanda Lloyd García. Antonia Lloyd González… Puis il trouva la liste suivante, en date du vendredi 21 décembre. Elle contenait cette fois douze noms :

```
C. ANTUNEZ G. (H)
J. EYZAGUIRRE M. (H)
A. SEPULVEDA Z. (H)
A. LLOYD G. (F)
M. PINTO G. (H)
B. SILWAN B. (H)
R. ALBERTI L. (H)
E. LABRADOR H. (F)
R. SALINAS L. (H)
M. AGOSTINI P. (H)
P. MANQUEHUE T. (H)
J. GONZALEZ M. (H)
```

Entre le 14 et le 21 décembre, six personnes avaient donc encore franchi les grilles pour se mettre à l'abri, tandis qu'un homme, R. Balmaceda P., avait trouvé le moyen de quitter l'ambassade. Mais la liste comptait cette fois deux femmes. Comment savoir ?

Turpin parcourut les listes suivantes. Les deux femmes figuraient toujours dans le décompte du vendredi 28 décembre. Mais il constata que l'une d'elles, A. Lloyd G., n'apparaissait plus à la date du vendredi 4 janvier. Il poursuivit sa lecture, découvrant au passage avec surprise que, jusqu'en février 1974, des Chiliens sautaient encore les grilles de l'ambassade. C'étaient exclusivement des hommes. L'autre femme, E. Labrador H., était apparemment restée jusqu'en juillet, et avait dû partir avec le dernier groupe. Son nom figurait dans la toute dernière liste, celle du vendredi 5 juillet 1974. Elle pouvait tout aussi bien être la femme qu'avait aimée

Messand : lui-même avait définitivement quitté le Chili en juillet ou en août 1974. Ils auraient donc eu l'opportunité de cohabiter dans l'ambassade pendant plus de six mois, durée propice à l'épanouissement d'une liaison.

Il revint en arrière afin de déterminer la durée approximative du séjour à l'ambassade de A. Lloyd. G. Son nom figurait dans toutes les listes de novembre. Mais elle n'apparaissait pas dans celle du 5 octobre. Si Mme de Morteau avait dit juste, il y avait donc deux possibilités : A. Lloyd G., arrivée entre le 5 et le 12 octobre, et repartie entre le 28 décembre et le 4 janvier ; E. Labrador H., entrée entre le 14 et le 21 décembre et repartie en juillet parmi les derniers.

*

Ce soir-là, Turpin revint chez lui avec une migraine épouvantable qui lui enserrait tout le haut du crâne comme un casque. Ces satanées listes m'ont calcifié le cerveau, songea-t-il. Il se faisait couler un bain quand son téléphone sonna. C'était de nouveau Alvarez.

– Turpin, ça va ? Figurez-vous qu'avec l'aide des carabiniers, on a pu identifier l'ordinateur depuis lequel le message du 22 juillet a été envoyé.

– Vous avez un nom ?

– Eh bien non, malheureusement. C'est exactement le scénario que je redoutais. L'adresse IP correspond à un ordinateur qui est la propriété d'un cybercafé, *El Arcoíris*. Ça se trouve dans le quartier populaire de Maipú, à Santiago. Au numéro 1201 de l'avenue Portales.

– Vous y êtes allé ?

– Oui, j'en reviens à l'instant. Mais ça n'a pas donné grand-chose. Le patron ne tient pas de registre des clients, il se contente d'encaisser ses pesos.

Assis sur le rebord de sa baignoire, Turpin sentait la douleur lui vriller les tympans.

– Qu'allez-vous faire ?

– On va planquer quelques jours à proximité du café, c'est la seule chose que nous puissions faire. Le patron se souvient seulement que vers la mi-juillet, un vieux monsieur est venu une ou deux fois dans le cybercafé. Il se le rappelle car ses clients sont d'ordinaire plutôt jeunes. Peut-être habite-t-il dans le quartier. Nous disposons d'un signalement assez précis.

Turpin se força à raconter à l'enquêteur sa descente aux Archives et ce qu'il y avait découvert. Alvarez écoutait en silence. Quand il eut fini, il entendit un sifflement dans le combiné.

– Bravo, Turpin ! Vous avez sacrément progressé. Même incomplets, ces deux noms peuvent nous permettre d'avancer. Je vais voir avec les carabiniers s'ils peuvent en tirer quelque chose. Ils sont très coopératifs. Autre chose de votre côté ?

Turpin hésita quelques secondes avant de reprendre :

– Dites-moi, Alvarez, pardonnez-moi de vous poser cette question, qui va sans doute vous paraître idiote. Mais je vous la pose quand même.

– Allez-y.

– Eh bien… Vous avez pensé à envoyer vous-même un e-mail à ce mystérieux internaute ? Sait-on jamais, il se pourrait qu'il vous réponde.

À des milliers de kilomètres de distance, le rire d'Alvarez résonna aussi clairement que s'il avait été assis sur la baignoire à son côté.

– Mais Turpin, vous me prenez pour un bleu ? Bien sûr que j'ai tenté cela. Dès lundi dernier, quand nous avons découvert le message. Mais à ce jour, ça n'a rien donné. *Nada*. Aucune réponse. Il a dû sentir que j'étais flic. Ça m'arrive souvent.

*

Le vendredi 19 septembre, mu par une intuition, Turpin redescendit aux Archives. Il demanda cette fois à la vieille archiviste le dossier relatif à la gestion des ressources humaines à Santiago pour les années 1973 et 1974.

– À l'époque, on appelait cela la gestion du personnel, monsieur Turpin, lui dit-elle avec ironie. Patientez un instant, je vais vous chercher ça.

En feuilletant la grosse liasse de documents qu'elle lui avait remise, il tomba d'abord, par hasard, sur le sous-dossier nominatif de Pierre Messand. Lequel ne contenait pas grand-chose, sinon ses avis d'arrivée et de départ, et des feuilles de congé signées par son ambassadeur. Il apprit ainsi que Messand avait regagné la France du 22 décembre 1973 au 5 janvier 1974. Deux semaines de vacances pour profiter, sans doute, des fêtes de fin d'année en famille. Il n'y avait rien de surprenant à cela : le gros de la crise des réfugiés étant passé, Henri de Morteau n'avait pas dû soulever d'objection à l'absence de son jeune collaborateur. Après plus de trois mois de dur labeur et d'extrême tension, Messand devait être épuisé. Mais c'était aussi la période au cours de laquelle l'une des deux femmes encore réfugiées à l'ambassade, A. Lloyd G., avait disparu dans la nature. Si Messand avait été épris de celle-ci, il était malaisé d'imaginer qu'il soit rentré en France avant son départ de l'ambassade. La logique voulait plutôt qu'il soit tombé amoureux, après son retour en janvier 1974, de l'autre femme, E. Labrador H., laquelle avait été recueillie peu avant et était demeurée dans l'ambassade jusqu'en juillet.

Tout à ses supputations, Turpin continua à fouiller et finit par tomber sur le document qu'il convoitait : la liste complète du personnel employé par l'ambassade, recrutés locaux inclus. À la fin du dossier, dans la section consacrée au petit personnel, une fiche attira son attention :

> NOM : NAVARRO GUTIERREZ
> PRENOM : Angel
> Date de naissance : 8 mars 1927
> Lieu de naissance : Alcalá de la Selva (Aragon, Espagne)
> Domicile : 603 Avda Valdivia, Puente Alto, Santiago
> État civil : célibataire
> Emploi : portier
> Date de recrutement : 3 janvier 1962

Ce devait être le portier de l'ambassade à l'époque du coup d'État, celui dont Mme de Morteau avait loué l'attitude. *Il faisait le guet au portail et facilitait l'entrée des réfugiés.* Mais pourquoi son regard s'était-il arrêté sur cette notice en particulier ?

Turpin, fatigué par ses recherches, se frotta les yeux et mit un moment à comprendre. ANGEL. NAVARRO. Un frisson le parcourut. ANG(EL). NAV(ARRO). Était-ce l'homme qui se cachait aujourd'hui derrière l'adresse électronique angnav@yahoo.com ?

Après avoir réclamé et obtenu une copie du document, Turpin remonta dans son bureau, décrocha son téléphone et demanda aussitôt au standard à être mis en communication avec l'ambassade de France au Chili.

On le fit patienter. Après plus d'une minute d'attente, il put parler au chef de chancellerie.

– Bonjour, ici Sarthois. Que puis-je pour vous ?

– Bonjour monsieur Sarthois, ici Turpin, à Paris. Je vous appelle dans le cadre de l'enquête sur la mort de Pierre Messand. J'imagine que vous n'employez plus un certain Angel Navarro comme portier à l'ambassade ?

– Non monsieur. Ce nom-là ne me dit rien. Et puis avec les baisses de crédits, nous n'avons plus de portier depuis longtemps.

– Pourriez-vous jeter un œil dans vos archives et me dire quand il a cessé de travailler ? D'après les éléments que j'ai réunis, il avait été recruté en janvier 1962.

– Je regarde, monsieur.

Turpin perçut des bruits sourds et les claquements métalliques caractéristiques d'une armoire forte dont on actionne l'ouverture. La voix revint :

– Il a pris sa retraite en 1987, monsieur Turpin.

– L'ambassade n'a eu aucun contact avec M. Navarro depuis lors ? Lui versez-vous une pension ?

– Pas de contact, monsieur Turpin, je le crains. Et le système de retraite est complètement privé au Chili. On a dû lui verser un pécule à son départ, et puis ça s'est arrêté là.

– Vous n'avez pas gardé un numéro de téléphone ?

– Non, monsieur, je n'ai rien.

Il remercia son interlocuteur et raccrocha. Angel Navarro, parti à la retraite en 1987, à l'âge de soixante ans. Il aurait donc soixante-seize ans aujourd'hui. Était-ce le vieux monsieur mentionné par le patron du cybercafé *El Arcoíris* à Maipú ? Il fallait appeler rapidement Alvarez…

Ce ne fut qu'en relevant la tête qu'il s'aperçut que Jean-Baptiste Bruxel, assis en face de lui, le fixait de ses grands yeux bleus. Obnubilé par sa découverte aux Archives, il n'avait même pas remarqué sa présence. Le jeune homme, qui avait donc assisté à son coup de fil au Chili, se racla la gorge.

– L'enquête sur l'assassinat de Pierre Messand ? Vous êtes impliqué dans l'enquête, René ?

Turpin resta pétrifié sur sa chaise. Comment avait-il pu se dévoiler de la sorte ? Lui faudrait-il maintenant raconter au jeune homme tous les tenants et aboutissants de l'enquête ? Il n'y avait, du reste, pas le moindre aboutissant à narrer... Il se tortillait derrière son bureau quand une idée germa en lui. La tentation était trop forte.

– Écoutez, Jean-Baptiste. Je vais tout vous raconter. Mais à deux conditions. La première, c'est que vous me promettiez de ne rien dire à personne.

– Et la seconde ?

Ils se dirigèrent ensemble vers le bureau 253 qui, heureusement, était inoccupé. Turpin fit asseoir Bruxel devant le poste Internet et l'interrogea avec solennité :

– Jeune homme, pouvez-vous m'aider à créer un compte privé de messagerie ?

– Bien sûr, René. Mais pourquoi ?

– J'ai besoin de communiquer avec quelqu'un sans passer par la messagerie du Quai d'Orsay. Afin de ne pas l'effrayer.

Jean-Baptiste se mit à pianoter avec dextérité. Au bout d'une minute, il demanda à Turpin quel nom il voulait utiliser.

– Comment cela, quel nom ?

– Vous n'êtes pas tenu d'utiliser votre nom. N'importe quel nom fera l'affaire. L'essentiel est que vous vous en souveniez.

Turpin cala un moment. En regardant Jean-Baptiste, qui attendait patiemment, il se souvint à nouveau de leur échange inachevé sur *Le Quatuor d'Alexandrie*.

– Antrobus.

– Quoi ?

Turpin gratifia son jeune collègue d'un rictus plein de pitié. Il était grand temps de remettre le blanc-bec à sa place.

– Vous n'avez donc vraiment rien lu du grand Lawrence Durrell ? Antrobus, c'est le personnage principal des *Scènes de la vie diplomatique*. Un ouvrage désopilant, incontournable lorsque, comme vous, on embrasse la Carrière. Laissez-moi vous dire, mon jeune ami, que votre éducation britannique souffre de graves lacunes.

La mine boudeuse, Jean-Baptiste pianota encore avant de lui demander un mot de passe. Comme Turpin restait coi, il lui proposa FÉLIX.

– Va pour FÉLIX.

– Très bien. Je vous ai créé un compte auprès de la messagerie proposée par France Telecom. C'est gratuit. Vous pourrez y accéder depuis n'importe quel ordinateur connecté à Internet. Maintenant, à vous de jouer.

L'air digne, tâchant de ne pas manifester trop de reconnaissance, Turpin s'assit à son tour devant l'ordinateur et convoqua au mieux ses souvenirs d'espagnol :

<antrobus@voila.fr> Fri, Sep 19, 2003 at 5 : 17 PM
To : <angnav@yahoo.com>

Estimado Señor Navarro, soy un amigo de Pierre. Estoy tratando de averiguar por qué fue asesinado y quién lo mató. Sé que Usted me puede ayudar. Por favor contáctese conmigo. No tenga miedo.

Il relut avant d'appuyer sur la touche d'envoi, avec la sensation de jeter une bouteille à la mer.

Cher Monsieur Navarro, je suis un ami de Pierre. J'essaie de découvrir pourquoi il a été assassiné et qui l'a tué. Je sais que vous pouvez m'aider. Je vous prie de me contacter. N'ayez pas peur. L'ancien portier réagirait-il à ce message ?

9

Ce samedi 20 septembre, Turpin s'accorda le luxe d'aller prendre son petit-déjeuner sur une terrasse de café. Il acheta la presse du matin et, tout en dévorant ses tartines, entreprit de vérifier ce qu'on écrivait sur l'assassinat de Messand. Il constata très vite qu'il n'y avait rien. Trois semaines après les faits, les journaux étaient passés à autre chose. Au milieu d'un monceau d'articles sur le bilan de la canicule du mois d'août, le sort d'un diplomate français ne pesait visiblement pas bien lourd.

Alvarez appela vers le milieu de l'après-midi. La veille, Turpin lui avait transmis sa découverte : le nom complet de l'ancien portier de l'ambassade et sa dernière adresse connue. L'enquêteur s'était montré électrisé.

– Bonjour Turpin. Les carabiniers m'ont emmené à Puente Alto ce matin.

– Alors ?

– Nous avons fait chou blanc. Apparemment, Angel Navarro n'habite plus à cette adresse depuis des années. Le numéro 603 de l'avenue Valdivia correspond maintenant à une boutique de jeux vidéo.

– Il ne figure dans aucun fichier ?

– Si. Il apparaît dans le fichier d'un fonds de pension privé, ProVida, le plus grand du Chili. Mais l'adresse qui y figure est la même que celle que vous m'avez donnée.

– Comment est-ce possible ? Il doit bien se trouver quelque part, ce monsieur, s'il touche sa pension !

– Justement. Il peut la toucher n'importe où, à ce que nous dit ProVida. Le fonds de pension compte plus de quatre-vingts guichets à travers tout le Chili.

– Ils n'ont pas trace de ses retraits ?

– C'est ce que nous leur avons demandé. Ils nous disent qu'ils devraient être en mesure de nous donner la liste des guichets où il a collecté sa pension au cours des six derniers mois. Mais ça va leur prendre quelques jours. Ils gèrent trois millions de personnes !

À ce train-là, se dit Turpin en raccrochant, on n'est pas près de mettre la main sur ce Navarro. À moins que… Il se demandait encore pourquoi il avait dissimulé à Alvarez sa petite initiative personnelle. Qu'espérait-il ? Se créditer du mérite exclusif d'un contact avec l'ancien portier ? Il y avait tout de même une raison objective : Angel Navarro s'efforçait manifestement d'échapper à la vigilance des autorités. Il devait se méfier de la police. Pour quelle raison ? Turpin n'en savait rien. Mais il pensait avoir plus de chances d'établir un contact en se démarquant de l'enquête et en apparaissant comme un simple ami de Messand, seulement soucieux de découvrir une vérité enfouie.

*

Jean-Baptiste s'étira comme un chat ensommeillé dans le désordre de son lit. La lumière du soir entrait à flots dans sa mansarde. Il traîna un long moment sous les draps, se remémorant avec délices chacun des instants du dîner. Adrien s'était montré enjoué dès l'apparition des hors-d'œuvre, riant de bon cœur à ses plaisanteries, racontant à son tour des histoires drôles. Quand Jean-Baptiste, enhardi par l'alcool, lui avait révélé son goût pour les hommes, il n'avait pas bougé un cil. Aucune ombre n'était passée sur la table, et la conversation avait suivi son cours éthylique et joyeux. Au dessert, le jeune énarque avait de lui-même proposé une escapade pour le week-end suivant. Jean-Baptiste n'en croyait pas ses oreilles. Ils étaient tombés d'accord sur Cabourg, où Adrien désirait s'initier au kitesurf. Quels progrès n'avait-il pas accomplis depuis sa promenade aux Buttes-Chaumont, une semaine plus tôt !

En songeant avec gratitude au rôle qu'avait joué le chien Félix dans cet enchaînement, il laissa ses pensées dériver vers Turpin. Pris la main dans le sac, celui-ci n'avait eu d'autre choix que de lui révéler son rôle dans l'enquête. Tout était soudain devenu clair : son attitude de conspirateur, ses mystérieux coups de fil, ses absences répétées. Jean-Baptiste l'avait écouté, fasciné, lui décrire le cours sinueux des investigations, la piste iranienne, les doutes, l'hypothèse d'une femme disparue au Chili trois décennies plus tôt. Le récit qu'en avait fait Turpin donnait à son nouveau métier les teintes sombres d'un roman policier. Il aurait aimé, se dit-il en fixant paresseusement l'écran de son ordinateur portable, participer lui aussi à l'enquête.

Il se souvint soudain du compte de messagerie qu'il avait, la veille, aidé Turpin à créer. Et si ce Navarro avait déjà répondu ? Il n'ignorait rien du code qu'il avait lui-même suggéré… La mauvaise conscience ne l'habita pas bien longtemps. Il se connecta et fit apparaître la page d'accueil de voila.fr.

*

Turpin s'apprêtait à se mettre au lit quand il reçut l'appel haletant de Jean-Baptiste.

– René, il a répondu !

– Qui ça ? rétorqua Turpin en bâillant.

– Votre contact au Chili. L'homme auquel vous avez écrit hier.

Turpin sentit le sommeil l'abandonner instantanément. Il ne sut, à chaud, s'il en voulait à Jean-Baptiste de s'être immiscé aussi profondément dans ses affaires. L'excitation l'emporta. Plus tôt dans la journée il avait envisagé, vaguement, de s'aventurer dans un cybercafé sombre et graisseux de la rue d'Alésia pour relever son courrier. La paresse l'en avait dissuadé.

– Que dit-il ?

– Je crois que vous allez devoir vous rendre au Chili !

– Jean-Baptiste… S'il vous plaît, que dit-il ?

– C'est très court. Je vous le lis.

Véngase a Chile. Tengo cosas para contarle. No hable con la policía.

Turpin raccrocha. Il attrapa son paquet de cigarettes et se mit à fumer en fixant le plafond. *Venez au Chili. J'ai des choses à vous raconter. Ne parlez pas à la police.* Il avait donc vu juste. Navarro se méfiait bel et bien de la police. Que faire ? Un voyage à Santiago était tentant. Mais Mazières rechignerait certainement à l'envoyer là-bas aux frais du ministère. Un billet aller-retour pour Santiago coûtait cher. Turpin examina diverses options. Cracher le morceau à Alvarez et se faire payer le billet par la DST ? Mazières refuserait. Prendre une semaine de congé et s'y rendre par ses propres moyens ? Mais son compte bancaire était presque à découvert. Il lui faudrait essayer d'emprunter un peu d'argent à sa mère.

*

Par horreur des rites, Amélia Turpin s'était toujours dérobée à celui qui veut qu'on déjeune en famille le dimanche. C'est pourquoi elle fut surprise de voir débarquer son diplomate de fils juste avant 13 heures, chargé de paquets huileux provenant d'un traiteur vietnamien.

– Toi, tu as quelque chose à me demander, siffla-t-elle dès son arrivée, drapée dans une toge en satin rose.

Félix, en revanche, lui fit la fête, ce qui sembla attendrir un brin la vieille actrice. En grignotant des nems, Turpin révéla patiemment à sa mère les grandes lignes de l'enquête et son rôle dans celle-ci. Quand il parvint à l'épisode concernant Navarro et à son souhait de se rendre au Chili, elle n'avait toujours pas touché à la barquette de porc au caramel gisant devant elle et l'observait fixement. Ses premiers mots lui rappelèrent qu'elle n'oubliait rien.

– Tu te prends pour le commissaire Maigret, mon pauvre enfant.

Il encaissa de bonne grâce.

– Et les Iraniens, tu les as déjà dédouanés ? C'est aller un peu vite en besogne, me semble-t-il. Est-on bien sûr qu'ils n'ont pas trempé là-dedans ?

Instinctivement, elle réagissait comme Mazières. Était-ce une réaction de bon sens ? Il soupira. La conversation paraissait mal engagée. Il argumenta tant bien que mal, mais très vite le ton monta.

– Écoute, René, je t'ai déjà mis en garde maintes fois. Ces simagrées diplomatiques sont ineptes et dangereuses. Un diplomate de haut rang s'est fait dézinguer, j'apprends que tu traficotes autour de l'enquête, et tu t'imagines que je vais te financer un voyage au Chili. Je rêve !

Il battit en retraite. Mais elle n'en avait pas terminé.

– Et puis, soit dit en passant, ta vie n'a ni queue ni tête en ce moment. Tu végètes, tu passes ton temps à broyer du noir en attendant qu'on te renvoie à l'étranger. Non mais regarde-toi. À quand remonte ta dernière coupe de cheveux ? Il te faudrait une femme. Mais tu es incapable d'en garder une.

Il aurait voulu lui dire, justement, que l'enquête sur la mort de Messand l'avait réveillé de sa torpeur ; qu'il éprouvait, depuis presque trois semaines, du plaisir à se rendre chaque jour au ministère, à décortiquer la vie du diplomate défunt, à se rendre utile. Mais cette averse de reproches l'anesthésia. Ramassant les reliefs du repas asiatique auquel elle n'avait pas voulu goûter, il s'esquiva et rentra chez lui.

*

La vie du Quai d'Orsay reprenait enfin des couleurs lorsqu'il se rendit chez Mazières le lundi à midi. Le ministre était rentré de New York la veille au soir et l'on sentait tout le bâtiment de nouveau traversé par un courant électrique à tension variable. Sauf dans le bureau du secrétaire général, qui faisait à Turpin l'effet d'une cage de Faraday, étanche à toute nuisance électromagnétique. Comment Mazières parvenait-il à s'isoler de la rumeur du monde ?

Comme toujours, il accueillit le récit de Turpin de sa mine impénétrable, sans prononcer un mot. Quand il eut terminé, le chargé de mission n'en menait pas large et attendit en silence une nouvelle tirade sur la responsabilité des Iraniens.

– Vous dites que vous avez dissimulé à la DST le fait qu'Angel Navarro vous a contacté ? C'est bien ça ?

La voix rauque de Mazières semblait venir d'outre-tombe. Turpin crut déceler un reproche.

– Oui, monsieur le secrétaire général. Mais je vais en parler à Alvarez, bien sûr. Mon but était seulement de déjouer la méfiance de Navarro.

Mazières réfléchissait, les yeux dans le vague, en caressant du pouce sa chevalière. Lechâtel, le vieux chiffreur attitré du secrétaire général, entra à pas de loup, fit un signe de tête à Turpin et déposa une chemise de télégrammes sur le bureau avant de repartir. Le secrétaire général ne parut pas s'en apercevoir.

– Si je comprends bien, Turpin, nous avons une longueur d'avance sur la DST. C'est bien cela, n'est-ce pas ?

C'était donc ça qui éveillait l'intérêt de Mazières. Turpin avait craint de se faire rabrouer pour avoir dissimulé un élément crucial de l'enquête. Mais son supérieur y voyait manifestement un atout.

– Vous n'allez rien révéler à Alvarez, poursuivit Mazières qui commençait à s'animer dans son fauteuil.

– Que voulez-vous dire ?

– Ce que je viens de dire, Turpin. Vous allez vous rendre au Chili et c'est vous qui rencontrerez cet Angel Navarro. Après tout, c'est à vous, et à vous seul, qu'il a répondu. Ce serait tout de même formidable que le Quai d'Orsay parvienne à débrouiller seul cette sale affaire.

Une rivalité entre services ! Il allait devoir son billet pour Santiago à une rivalité entre services.

– Toutefois, je peux difficilement vous laisser y aller seul, poursuivait Mazières. Si c'est bien la piste chilienne qui s'avère être la bonne, il va falloir se montrer prudent. Messand avait à l'évidence découvert là-bas quelque chose, ou quelqu'un, qui lui a coûté la vie. Je vais vous adjoindre Maurice Lechâtel. Vous ne serez pas trop de deux une fois sur place. Surtout s'il faut agir dans le dos de la DST et des carabiniers.

– Pourquoi Lechâtel ? demanda Turpin qui, déjà peu fier d'avoir informé Bruxel et sa propre mère, s'inquiétait du nombre croissant de personnes au courant de l'enquête.

– Parce qu'il a toute ma confiance, je vous l'ai déjà dit. Lechâtel était déjà mon chiffreur à Moscou. Et puis il est passé par l'armée avant d'entrer au Quai d'Orsay. C'est un costaud. S'il s'agit de vous protéger, c'est l'homme qu'il vous faut.

– Mais que vais-je dire à Bertrand Alvarez ? Comment vais-je justifier auprès de lui ce voyage, si je ne lui avoue pas que Navarro m'a contacté et enjoint d'aller au Chili ?

– Je vais appeler le patron de la DST pour lui annoncer que je lui fournis des renforts. Je doute qu'il s'en offusque. Après tout, c'est la DST qui avait demandé, dès le départ, à ce qu'un diplomate soit enrôlé dans l'enquête. Et puis, je vous rappelle que c'est grâce à vous que la piste chilienne a pu être confirmée. Sans le compte e-mail que les Iraniens vous ont révélé, nous n'en serions pas là. Rappelez-le à Alvarez.

Il s'interrompit pour joindre sa secrétaire et lui ordonner de faire acheter au plus vite deux billets d'avion pour Santiago aux noms de Turpin et Lechâtel. Puis il reprit :

– On va faire les choses proprement, Turpin. Je vous fais établir à tous les deux des ordres de mission en bonne et due forme, pour une durée d'une semaine. Une fois sur place, jouez le jeu de la coopération avec Alvarez, je ne pense pas qu'il se méfiera. Et faites-vous connaître de l'ambassade. Elle pourra vous être utile, notamment si vous avez des messages à me faire passer discrètement. Je vais écrire à l'ambassadeur pour le prévenir et lui donner instruction de vous porter assistance en cas de besoin.

L'interphone sonna. C'était de nouveau la secrétaire de Mazières. Il actionna le haut-parleur :

– C'est fait, monsieur. Les réservations sont confirmées pour mercredi soir. Départ à 20 h 50 de Roissy, terminal 2F, arrivée à Santiago le lendemain matin à 7 h 15. Dois-je réserver des chambres d'hôtel ?

*

Durant les deux journées qui le séparaient du départ, Turpin rongea son frein et mit à profit son désœuvrement pour se faire couper les cheveux. Il avait hâte de s'envoler pour le Chili et peinait encore à croire au retournement de situation survenu dans le bureau de Mazières. La seule perspective de doubler la DST dans la dernière ligne droite avait suffi à faire basculer le secrétaire général.

Mais se trouvaient-ils vraiment dans la dernière ligne droite ? L'enquête avait déjà suivi tant de méandres depuis trois semaines. Sans doute étaient-ils sur le point de découvrir le motif du voyage de Messand au Chili. Toutefois, ils ne disposaient toujours pas du moindre indice quant au mobile du meurtre. Comment une histoire vieille de trente ans pouvait-elle expliquer l'assassinat ?

Avec un brin de mauvaise conscience, il appela Alvarez et lui présenta son imminent voyage comme un renfort. Curieusement, l'enquêteur ne posa pas de questions et manifesta même une certaine joie :

– Excellent, Turpin, nous ne serons pas trop de trois pour démêler les fils de cette affaire. Je vous attends de pied ferme !

Le mardi soir, veille du départ, il céda à la paresse une nouvelle fois et appela Jean-Baptiste pour lui dicter un message à l'intention d'Angel Navarro.

<antrobus@voila.fr> Tue, Sep 23, 2003 at 9 : 37 PM
To : <angnav@yahoo.fr>

Estimado Señor Navarro, llegaré a Santiago este jueves por la mañana, acompañado por otro amigo de Pierre. No somos de la policía. Por favor indíqueme cómo y dónde encontrarme con Ud.

– Hmm… Vous lui annoncez donc que vous arrivez à Santiago jeudi matin, avec un autre ami de Pierre. C'est bien ça, René ? Mon espagnol est assez limité…

– Oui ! répondit Turpin d'un ton impatient. Je lui dis aussi que nous ne sommes pas de la police, et je lui demande où et comment le rencontrer. Comme ça, vous savez tout ! Vous l'avez envoyé ?

– C'est fait, René.

– Jean-Baptiste, autre chose. Je ne sais pas si j'aurai facilement accès à cette messagerie, une fois au Chili. Je vous demande donc de la surveiller.

Le jeune homme peinait à masquer son exaltation.

– Bien, René.

– Appelez-moi sur mon portable dès qu'il aura répondu.

*

Les deux hommes arrivèrent presque en même temps au comptoir d'Air France et obtinrent des places contiguës à l'arrière de l'avion. En attendant l'embarquement, Turpin prit un moment pour mettre le chiffreur au courant de l'avancement de l'enquête et des derniers développements concernant l'ancien portier de l'ambassade de France au Chili.

– Est-on sûr que Messand a revu ce Navarro fin juillet ? demanda Lechâtel.

– On n'est sûr de rien. Mais on le suppose.

Le chiffreur restait pensif en contemplant le bout de ses chaussures.

– C'est un communiste, ce Navarro ?

– Comment voulez-vous que je le sache ? Et puis, quelle importance ?

Lechâtel haussa les épaules et se tut. Il s'avéra, au cours des heures suivantes, un compagnon de voyage courtois mais guère causant. Turpin devina que Mazières l'avait déjà instruit.

Les avions de l'ère moderne ignorent les escales. Turpin, terrifié à l'idée de ne pouvoir fumer une seule cigarette au cours des quinze heures suivantes, avala un somnifère après le décollage. Très vite il somnola, sans vraiment s'endormir. Ses pensées, même ralenties, le ramenaient sans cesse à l'enquête. Où allait encore le conduire son pèlerinage sur les traces de Messand ? Lechâtel et lui-même étaient maintenant lancés à la recherche d'une femme que le diplomate avait – peut-être – aimée trente ans plus tôt, de l'autre côté du globe.

En songeant aux amours de Messand, les mots blessants de sa mère lui revinrent aux oreilles. *Il te faudrait une femme. Mais tu es incapable d'en garder une.* Il en avait pourtant eu, des femmes. Isabel, la Cubaine, épousée en hâte à La Havane et qui avait mis les voiles dès son visa français en poche. Il frissonna au souvenir de ce désastre. Où pouvait-elle se trouver aujourd'hui ?

Une violoniste maltaise, qu'il avait cette fois lâchement abandonnée en quittant l'île maudite. Sa dernière liaison sérieuse, avec une diplomate britannique en poste à Vientiane, l'habitait encore. Mais la rupture l'avait terrassé. Comment expliquer à sa mère qu'il éprouvait, depuis toujours, le plus grand mal à passer d'une femme à une autre ? Quand il quittait une compagne, ou qu'une femme le quittait, une étrange condition le vouait par avance à repousser celle dont, tôt ou tard, il finirait par s'éprendre. Il creusait ses plaies, cultivait ses souvenirs heureux comme des bacilles, et en voulait dès aujourd'hui à celle qui, demain, le contraindrait à remiser ses amours déçues. Cette prescience le peinait et le paralysait. C'était, à ses yeux, la certitude d'une trahison à venir à laquelle il prendrait, malgré lui, toute sa part.

Une hôtesse le tira de sa triste rêverie pour lui servir à manger. Engourdi par le somnifère, il n'en retint qu'un épisode funeste : depuis son plateau-repas, un œuf en gelée le nargua longuement dans la semi-obscurité tressautante de la cabine. *L'œil était dans la tombe et regardait Caïn*, songea sombrement Turpin avant de finir par engloutir l'aspic.

L'avion se posa dans le petit matin. Lechâtel et Turpin franchirent les contrôles sans encombre et s'engouffrèrent dans un taxi. Tandis que la voiture filait sur une autoroute vers le centre-ville, Turpin contempla le paysage et remarqua avec surprise l'étrange similitude qu'offrait Santiago avec Téhéran : comme la capitale iranienne, la métropole chilienne était bâtie à l'assaut d'une pente qui venait se cogner à une immense barrière de roche. À la vue des cimes enneigées des Andes, il se demanda si Messand avait ici, comme à Téhéran, pu s'adonner à sa passion des marches en montagne.

Ils traversèrent d'abord des bidonvilles, des quartiers à demi inondés dont les rues n'étaient pas asphaltées. Il avait dû pleuvoir beaucoup les jours précédents, et Turpin se souvint que le Chili émergeait à peine de l'hiver austral. Il aperçut un panneau indiquant Maipú. Le cybercafé *El Arcoíris* ne devait pas être loin. À mesure que la voiture progressait vers le centre, Turpin releva une autre similitude avec Téhéran : plus on s'approchait des montagnes, plus les rues se faisaient propres et coquettes. Comme si la pente qui portait la ville avait figuré, littéralement, une échelle sociale impitoyable.

La secrétaire de Mazières leur avait réservé des chambres dans un petit hôtel de la rue Condell, situé juste en face de l'ambassade de France. Turpin trouva deux messages à la réception. L'un, d'Alvarez, leur donnait rendez-vous à 11 heures dans un café du centre. L'autre était un carton d'invitation aux armes de la République : l'ambassadeur les conviait tous deux à déjeuner à la résidence pour 13 heures.

Ils retrouvèrent Alvarez dans un café de la rue Huérfanos, à deux pas du palais de la Moneda où, le 11 septembre 1973, le président Allende s'était donné la mort. Le quartier, construit en damier, offrait un aspect grisâtre et fonctionnel. L'enquêteur les attendait avec un sourire égrillard. Après avoir fait les présentations, Turpin comprit pourquoi : les trois jeunes serveuses qui virevoltaient dans la salle portaient des bottines à très haut talon et des minijupes si courtes qu'elles ne laissaient plus guère de place à l'imagination.

– C'est la dernière mode au Chili, plaisanta Alvarez. Le *café con piernas*. Votre expresso vous y est servi en jambes. J'ai pensé que ça vous mettrait dans le bain.

Lechâtel semblait hypnotisé et ne pipait mot. Turpin interrogea l'enquêteur de la DST quant aux éléments recueillis auprès du fonds de pension.

– Oui, dit Alvarez, ProVida nous a fourni hier la liste des guichets où Navarro s'est présenté au cours des six derniers mois.

– Alors ?

– Eh bien, il ressort qu'il a collecté sa pension alternativement dans deux succursales. L'une est située à Maipú, la commune où se trouve également le cybercafé *El Arcoíris*. La seconde sur une autre commune, à San Bernardo.

– Elles sont loin l'une de l'autre ? demanda Lechâtel, qui semblait s'être enfin remis de son ravissement libidineux.

– Non, justement. Quelques kilomètres seulement. Ce sont deux communes de la banlieue ouest de Santiago qui sont voisines l'une de l'autre. Navarro doit donc habiter dans cette partie-là de l'agglomération.

– Qu'allez-vous faire ?

– Eh bien, nous sommes le jeudi 25 du mois. S'il est fidèle à ses habitudes, Navarro devrait collecter sa pension le 29 ou le 30, soit lundi ou mardi prochain. Nous allons planquer aux abords des deux succursales et voir s'il se présente. C'est tout ce que nous pouvons faire.

– La planque au cybercafé n'a rien donné, je présume ? vérifia Turpin, un peu mal à l'aise.

– Non, rien du tout à ce jour. Mais nous allons bien finir par le coincer. À mon avis, ce n'est plus qu'une question de jours. Les carabiniers se montrent confiants.

En son for intérieur, Turpin émit l'espoir que Navarro le contacte pour lui donner rendez-vous avant la fin du week-end.

– Et les noms des deux femmes ? intervint de nouveau Lechâtel. Ça n'a rien donné ?

– Les carabiniers me disent que les noms sont trop incomplets pour en tirer quelque chose. Ils ont vérifié, malgré tout. Mais Lloyd et Labrador sont des noms répandus au Chili. Ils se demandent, d'ailleurs, si elles n'ont pas quitté le pays il y a déjà longtemps.

C'était une possibilité à laquelle ils n'avaient pas pensé, songea Turpin. *Creo que la encontré.* Angel Navarro pouvait très bien avoir localisé une femme dans un autre pays. Mais dans ce cas, pourquoi Messand était-il venu au Chili au mois d'août ?

*

Telle qu'Hélène de Morteau l'avait décrite, la résidence de France occupait un grand jardin au bord du Mapocho, ce torrent semé d'herbes folles qui avait charrié tant de malheur trente ans plus tôt. Avant de pénétrer dans la maison, Turpin s'attarda un moment sur la pelouse, près de la piscine, en s'efforçant d'imaginer l'élégante propriété envahie par des centaines de réfugiés aux abois, labourée par des plantations maraîchères. Derrière la haie se dressait la masse sombre et touffue du cerro San Cristóbal, une colline vissée de façon incongrue au beau milieu de la capitale. Il aperçut deux vélos tout terrain près des garages. La vieille Dyane avait dû disparaître depuis longtemps. L'ensemble dégageait un aspect à la fois bucolique et luxueux. Il devait faire bon habiter cette résidence du bout du monde – pour autant que les nuits ne soient pas déchirées par le claquement des mitraillettes et les hurlements de jeunes gens blessés.

L'ambassadeur les reçut d'abord sur la terrasse pour l'apéritif. C'était une femme d'une cinquantaine d'années, à la mine un peu hautaine mais dont les yeux brillaient d'une lueur bienveillante.

– J'ai reçu hier un appel de Mazières, commença-t-elle. Il va de soi que mon ambassade est toute disposée à vous aider. Mais je meurs de curiosité. Racontez-moi comment l'enquête sur le meurtre de Messand vous a conduits jusqu'au Chili.

Sans évoquer le détour par l'Iran, Turpin lui exposa les éléments qui les avaient amenés à rechercher une femme réfugiée à l'ambassade en 1973, et disparue par la suite.

– C'est un sujet toujours très sensible ici, dit l'ambassadeur alors qu'ils passaient à table. Les disparus. Le rapport Rettig en a recensé plus de mille.

– Le rapport Rettig ?

– Après le rétablissement de la démocratie en 1990, le président Aylwin a mis sur pied une commission multipartite pour faire la lumière sur les crimes de la junte et tenter d'identifier les victimes. En février 1991, cette commission a produit un rapport. Sur les quelque trois mille victimes recensées, il y avait environ un millier de *detenidos desaparecidos*. C'est l'expression consacrée ici pour tous ceux du sort desquels on ne sait rien.

– Ils ont purement et simplement disparu ? demanda Lechâtel.

L'ambassadeur fit une pose pour attraper, sur un plat qu'on lui tendait, un somptueux filet de bar à la sauce hollandaise.

– C'est une spécificité des dictatures latino-américaines de ces années-là. La même chose s'est produite en Argentine, en Uruguay. Les autorités militaires arrêtaient des gens et les faisaient disparaître. Certains de ces malheureux ont été jetés dans l'océan depuis des avions. D'autres dissous dans l'acide, ou enterrés dans des charniers qu'on n'a jamais retrouvés. La chose incroyable, c'est que les autorités niaient les avoir arrêtés. Les proches s'enquéraient de leur sort et se voyaient répondre qu'ils étaient sans doute partis à l'étranger. Untel avait été vu à Miami. Un autre à Paris, au bras d'une femme. Voilà ce qu'on leur répondait.

En écoutant ce récit, Turpin sentit qu'il commençait tout juste à entrevoir le désespoir qu'avait pu connaître Messand. Si la femme qu'il avait aimée comptait au nombre de ces disparus, comment espérer un jour la retrouver ?

– Le paradoxe, poursuivit l'ambassadeur, c'est que ce sont ces disparitions qui permettent, aujourd'hui, de rouvrir les dossiers judiciaires et d'entamer des poursuites.

– Comment cela ? s'enquit Lechâtel, que ce récit semblait fasciner.

– Eh bien, vous savez peut-être que Pinochet a promulgué en avril 1978 un décret d'amnistie qui couvrait toutes les exactions commises durant l'état de siège, c'est-à-dire la période allant du coup d'État de septembre 1973 à mars 1978. Mais encore fallait-il que les crimes en question aient été établis, voire jugés. Ces dernières années, des avocats particulièrement malins ont fait remarquer que, dans le cas des disparus, les crimes n'avaient pu être établis puisqu'il n'y avait pas, si j'ose dire, de corps du délit. C'est ce qui a permis de rouvrir les dossiers devant la justice. Le décret d'amnistie n'était donc pas applicable.

– C'est pourquoi vous disiez tout à l'heure, remarqua Turpin, que le sujet demeure très sensible, n'est-ce pas ?

– Oui. Mais pas seulement. Le sujet des crimes du régime militaire reste également sensible car au moins un tiers de la population de ce pays vénère Pinochet. C'est l'une des découvertes qu'on fait quand on débarque ici.

Les gens s'imaginent en Europe que Pinochet et son régime sont honnis des Chiliens. Mais c'est loin d'être le cas, croyez-moi. Les nostalgiques de la junte sont encore très nombreux, notamment au sein des forces armées.

Ils revinrent sur la terrasse pour prendre le café. Dans la lumière du début d'après-midi, le cerro San Cristóbal se colorait de mauve. Turpin réfléchissait. Si le rapport Rettig contenait un recensement des disparus, se pouvait-il que la femme qu'ils cherchaient y figure ? Ou qu'elle apparaisse dans un autre fichier ? Il posa la question à l'ambassadeur.

– Il faudrait vous adresser à l'AFDD. Ce sont les gens les plus pointus dans ce domaine.

– La quoi ?

– Agrupación de Familiares de Detenidos Desaparecidos. C'est l'organisme qui réunit les proches des disparus. Il a commencé à fonctionner clandestinement dès 1974, mais il a aujourd'hui pignon sur rue. On y trouve de nombreux fichiers. Pas seulement les disparus. Ils ont aussi recensé avec précision les personnes exécutées, celles victimes de torture. De même que les tortionnaires. Laissez-moi une minute pour les appeler. Je suis sûre qu'ils vous recevront rapidement. En général, ils apprécient les visiteurs étrangers.

Elle s'absenta une dizaine de minutes avant de revenir en agitant un papier.

– Voici leur adresse, c'est au centre-ville. Vous êtes attendus à 17 heures. C'est l'un des avocats bénévoles de l'AFDD, un certain Germán Vergara, qui vous recevra.

*

Tandis que Lechâtel faisait un somme à l'hôtel, Turpin traversa la rue Condell et se présenta devant la grille de la chancellerie. Cette grille qu'Angel Navarro avait surveillée durant vingt-cinq ans… Le policier de garde le fit entrer et on l'introduisit dans un réduit où trônait un ordinateur relié à Internet. Le cœur battant, il dut s'y reprendre à deux fois pour ouvrir sa boîte mail. Décidément, il n'était pas fait pour ces innovations… Mais il n'y avait aucun nouveau message.

Il ressortit et traîna une bonne heure avec Lechâtel, se mêlant à la foule des touristes autour du cerro Santa Lucía, une autre colline célèbre de Santiago que les conquistadores avaient utilisée comme tour de guet au XVIe siècle. Le chiffreur insista pour goûter auprès d'un vendeur de rue une étrange boisson locale. Sous l'œil désapprobateur de Turpin, on lui remit un grand verre d'eau sale où flottaient noyaux de pêche et grains de blé. Il eut l'air d'apprécier.

Ils retrouvèrent Alvarez au 1161 de l'avenue Ricardo Cumming, une artère étroite qui, partant du Mapocho, s'enfonçait vers le sud comme une tranchée. Germán Vergara, un trentenaire aux cheveux longs, les accueillit aimablement et les fit asseoir tant bien que mal dans un petit bureau où s'entassaient des piles de dossiers poussiéreux. Mais Turpin nota que l'ordinateur posé devant Vergara était du dernier cri. Il expliqua à l'avocat qu'ils recherchaient la trace de deux femmes disparues dans la tourmente consécutive au coup d'État.

– Malheureusement, précisa-t-il, nous ne disposons pas de leurs noms complets. A. Lloyd. G. a séjourné à l'ambassade de France d'octobre 1973 jusqu'à fin décembre ou début janvier 1974. E. Labrador H. de décembre 1973 à juillet 1974. Nous ne savons pas ce qui leur est arrivé par la suite.

Vergara nota les deux noms tronqués et réfléchit un moment. Il prit le temps d'allumer son ordinateur.

Il s'exprimait dans un espagnol saccadé que Turpin eut du mal à suivre. Alvarez et Lechâtel semblaient plus à l'aise.

– Je peux d'ores et déjà vous dire, même sur la base de ces noms incomplets, que ces deux personnes ne figurent pas sur la liste des disparus. Selon le rapport Rettig, cent trente-cinq femmes au total ont été soit assassinées, soit détenues, soit disparues. Je n'ai jamais vu ces deux noms. Reste à savoir si elles figurent dans d'autres fichiers, celui des individus torturés par exemple.

– Qu'a-t-il pu leur arriver, d'après vous ? demanda Alvarez. Quelles sont les hypothèses ?

– La seule chose dont on peut être certain, c'est qu'elles ont toutes deux survécu au coup d'État, puisqu'elles ne figurent ni l'une ni l'autre dans la liste des personnes exécutées ou disparues. À partir de là, il y a au moins trois possibilités : soit elles ont réussi à quitter le pays après leur séjour à l'ambassade, comme des centaines de milliers d'autres Chiliens. Soit elles sont restées au Chili, dans la clandestinité. Soit elles ont été détenues, puis libérées.

– Des fichiers des détenus existent-ils ?

– Dans certains cas, oui. Le problème est que le régime militaire avait ouvert des centaines de centres de détention. Nous en avons recensé plus de onze cents à travers tout le pays ! Des petits, des grands. Le plus célèbre s'appelle la Villa Grimaldi, ici, à Santiago. Il était géré par la DINA. On estime qu'au moins quatre mille cinq cents personnes y ont été détenues, dont plus de deux cents qui ont disparu à jamais. Mais d'autres lieux de détention pouvaient très bien être aux mains de l'Armée de terre ou de la Marine. Une autre commission planche actuellement sur les cas d'emprisonnement et de torture. Elle a déjà recensé plus de trente mille victimes. Ça vous donne une idée.

– La DINA ? Vous pouvez préciser ?

– L'acronyme de la police secrète sous les militaires. Dirección de Inteligencia Nacional. C'est elle qui s'est rendue responsable de la plupart des cas d'assassinat, de torture, d'enlèvement et de disparition forcée.

Turpin tenta d'imaginer, dans ce petit pays ensoleillé ourlé par l'océan, la constellation de centres de détention décrite par Vergara. Un *archipel du goulag* andin, où des centaines de personnes avaient disparu sans laisser de trace…

– Jusqu'à quelle date ces centres de détention ont-ils fonctionné ? s'enquit Lechâtel.

– Le dernier camp a fermé en novembre 1976. C'est à ce moment-là que notre groupe est vraiment entré en action, car on s'est aperçu que des centaines de prisonniers restaient introuvables. En avril 1978, Pinochet a signé le décret d'amnistie, ce qui rendait à l'époque toute poursuite impossible. Quelques mois plus tard, en décembre, on a commencé à découvrir les premiers charniers…

Les trois Français s'étaient tus, accablés tant par le récit de l'avocat que par l'immensité de leur tâche. Comment retrouver la trace d'une seule femme parmi des dizaines de milliers de détenus, des centaines de milliers d'exilés ?…

– Laissez-moi deux jours et revenez me voir samedi en début d'après-midi, conclut Vergara. Je vais lancer une recherche et consulter nos archives. *No se desesperen.* Ne perdez pas espoir. Nous disposons d'une base de données considérable. Si ces deux femmes ont déjà été recherchées par des proches, il y aura une trace. De même si elles ont été libérées d'un centre de détention.

Je ne vous fais aucune promesse, mais soyez assurés que nous ferons notre possible.

En ressortant dans l'avenue Cumming, la tête basse, Turpin ne prêta pas tout de suite attention au fourgon des carabiniers qui remontait à contresens vers le Mapocho. Le véhicule vert et blanc bifurquait déjà dans la rue Bardessi quand lui revint en mémoire, comme un éclair, le poème de Messand. *Les chiens au pelage vert. Ils courent vers la montagne rousse.* Le vert des carabiniers du Chili. Le vert olive du régime militaire. Le rempart de roche que forment les Andes au-dessus de Santiago. Était-ce la véritable clé du poème ?

10

Le vendredi 26 septembre fut marqué par l'attente : les trois hommes brûlaient de revoir Germán Vergara le lendemain ; Alvarez comptait les jours à l'approche de l'opération de planque autour des deux succursales de ProVida ; et Turpin continuait d'espérer secrètement un signal d'Angel Navarro.

Gagnés par le désœuvrement, ils descendirent jusqu'à la gare centrale et montèrent dans un bus pour Valparaiso. Après deux heures de route, ils explorèrent ensemble les ruelles pentues et les quais dépeuplés de la cité portuaire. C'était là, lut Turpin dans un guide touristique, dans le petit matin de cette ville accroupie comme un amphithéâtre face à la mer, qu'avaient résonné les premiers bruits de bottes du 11 septembre 1973. La vague vert olive avait ensuite franchi la vallée centrale pour venir s'abattre au pied des Andes. À 15 heures, tout était terminé. Le corps sans vie de Salvador Allende gisait dans les gravats du palais présidentiel qu'avait, depuis midi, pilonné l'aviation nationale. La nuit tombait sur le Chili. Messand s'activait déjà rue Condell, entrouvrant les grilles gardées par Navarro et déclenchant peut-être une chaîne d'événements qui lui vaudraient, trente ans plus tard, d'être assassiné à Paris. Mais lesquels ?

En s'éloignant du port, ils passèrent devant l'édifice en forme d'arche du parlement, relégué sur la côte par Pinochet et sa clique. Depuis l'une des maisons de Pablo Neruda, juchée sur les hauteurs comme une vigie, ils contemplèrent longtemps l'océan qui luisait ce jour-là d'un éclat mat et ferreux.

En fin d'après-midi, de retour à Santiago, Turpin retraversa la rue Condell pour relever sa messagerie sur le poste Internet de l'ambassade. Il constata avec dépit que Navarro demeurait silencieux.

*

Germán Vergara les accueillit avec une lueur de satisfaction dans le regard.

– Je pense que nous les avons identifiées, commença-t-il.

– Toutes les deux ?

– Absolument. Commençons par Labrador, puisque j'ai cru comprendre qu'elle vous intéressait au premier chef. Esperanza Labrador Herrera. Statisticienne. Elle travaillait pour la CEPAL, la Commission économique des Nations unies pour l'Amérique latine, qui a son siège ici, à Santiago. Née à Concepción le 8 janvier 1941.

Turpin fit un rapide calcul. Elle avait trente-deux ans au moment du coup d'État, soit deux ans de plus que Messand. Ça pouvait coller.

– Militante de la Gauche chrétienne, poursuivit Vergara. C'était une petite formation politique née d'une scission du Parti démocrate-chrétien, et associée à l'Unité populaire de Salvador Allende. Ses militants ont été sauvagement persécutés par le régime militaire.

– Vous savez ce qui lui est arrivé à partir de juillet 1974 ? demanda prudemment Turpin.

– Cela nous a pris du temps, mais nous pensons avoir reconstitué son parcours. Elle a fui à l'étranger. D'abord en Allemagne de l'Est, où elle est restée moins d'un an. Ce qui n'a rien d'étonnant. La plupart des Chiliens réfugiés en RDA n'y ont pas traîné très longtemps.

– Pourquoi cela ? demanda Lechâtel. Ils ne s'y plaisaient pas ?

Le visage de Vergara se fendit d'un sourire sarcastique.

– Disons que pour une grande partie des élites de la gauche chilienne, qui n'envisagent pas, encore aujourd'hui, de passer une seule journée sans leurs domestiques, la découverte du vrai communisme a sans doute été un choc. Cette femme s'est retrouvée employée comme comptable au combinat métallurgique de Dresde. Vous imaginez le changement !

– Et après ?

– Elle est donc restée dix mois à Dresde. En juin 1975, elle a pu rejoindre son mari au Venezuela.

– Son mari ! s'exclamèrent les trois Français.

– Oui, son mari. Un avocat, comme moi. Ils se sont installés à Caracas. Esperanza Labrador a fini par trouver un emploi d'économiste dans un ministère vénézuélien. Elle n'est jamais rentrée au Chili.

Turpin était impressionné par la précision des informations recueillies.

– Vous avez ses coordonnées ?

– *Se murió*, lâcha Vergara en écartant les mains dans un geste d'excuse.

– Elle est morte ?

– Oui, elle est décédée d'un cancer il y a onze ans, à Caracas. Mais je peux vous donner le numéro de téléphone de sa fille qui, elle, vit à Miami.

Le silence se fit dans le petit bureau. Il y avait peu de chances, songea Turpin, qu'il s'agisse de la femme qu'avait aimée Messand. *Creo que la encontré*. Navarro aurait-il pu écrire un tel message s'il avait découvert qu'elle était déjà morte ? Mais il avait tressailli à la mention de la fille d'Esperanza Labrador, et une autre hypothèse se présenta soudain à son esprit. Et si Messand avait eu un enfant au Chili ? Par exemple une petite fille, née dans la clandestinité après son départ, qu'il n'aurait jamais rencontrée… Pouvait-il s'agir de la femme vivant aujourd'hui à Miami ? Il se rendit compte que ni lui ni Alvarez n'avait envisagé ce scénario. Il se racla la gorge :

– Et l'autre femme ? Vous l'avez donc identifiée, elle aussi ?

– Nous le pensons, oui. Abril Lloyd Guerrero.

Turpin eut la sensation que ses os se liquéfiaient.

– Née le 15 avril 1951 à Quellón, sur l'île de Chiloé. C'est au sud du Chili, dans la région des Lacs. Elle était militante du MIR.

– Le MIR ? réagit Alvarez. C'était la gauche révolutionnaire, n'est-ce pas ?

– Oui. Movimiento de Izquierda Revolucionaria. Une formation marxiste fondée en 1965, appuyée par Fidel Castro, qui prônait la lutte armée. Le MIR a déposé les armes quand Allende est arrivé au pouvoir. Mais il les a évidemment reprises après le coup d'État. C'était la bête noire de la junte. Ses militants ont été particulièrement réprimés.

– Vous en savez davantage sur elle ? demanda Lechâtel.

– À ce qu'on sait, elle était étudiante en médecine. Elle était aussi la sœur d'un des principaux dirigeants du MIR dans la région des Lacs. Enrique Lloyd Guerrero. Il a été tué en mai 1974.

– Et elle ? Que lui est-il arrivé ?

– Nous avons une trace précise de son séjour à la Villa Grimaldi, le grand centre de détention et de torture dont je vous ai parlé l'autre jour. Elle y est entrée le 3 janvier 1974 et y est restée presque deux mois.

Turpin s'enfonçait dans un silence épais comme une boue. Il se sentait incapable d'articuler le moindre son. L'avocat continuait imperturbablement.

– Le 28 février, la DINA l'a transférée dans un autre camp, en province. Un camp administré par la Marine.

– Où ça ? demanda Lechâtel.

– À deux heures d'ici, dans la cinquième région. Un camp appelé Melinka. Elle y est apparemment restée jusqu'à la fermeture, en 1976. Nous ignorons la date exacte de la fermeture de ce camp.

– Vous savez si elle a été torturée ?

– À la Villa Grimaldi, ça ne fait guère de doute. D'autant plus que lorsqu'elle y était détenue, le régime n'avait pas encore mis la main sur son frère. Ils ont dû la torturer sauvagement pour essayer de la faire parler. C'était monnaie courante. Les coups, les brûlures de cigarette, l'électricité, les viols… Au camp de Melinka, c'est plus difficile à dire. D'après les témoignages que nous avons recueillis, ce n'était pas à proprement parler un centre de torture, même si les mauvais traitements et les humiliations faisaient partie du quotidien. Nous avons tout de même recensé un cas de disparition dans ce camp.

– Ils existent toujours, ces lieux de détention ?

– Certains, oui. La Villa Grimaldi est aujourd'hui un mémorial qui se visite. J'ignore en revanche ce qui reste du camp de Melinka. C'était à l'origine un village de vacances créé par l'Unité populaire pour les familles déshéritées à Puchuncaví, une petite localité près de l'océan. Il appartenait à la CUT, la Central Única de Trabajadores, le plus grand syndicat chilien jusqu'à sa dissolution par les militaires. Le village de vacances a été exproprié puis transformé en camp de détention. C'était un camp de taille moyenne, qui a pu accueillir jusqu'à trois cent cinquante prisonniers.

– Et après ? demanda Lechâtel. Qu'est-elle devenue ?

– Nous n'en savons absolument rien. Elle a été libérée puis elle a disparu sans laisser de trace. J'ai interrogé hier plusieurs personnes qui l'ont connue à Melinka. Elles disent ne l'avoir jamais revue. Elles rapportent aussi qu'elle ne parlait pas beaucoup, qu'elle était très repliée sur elle-même.

– Personne avant nous ne s'est jamais enquis de son sort auprès de votre organisme ? demanda Alvarez.

Vergara haussa les épaules.

– Après la fermeture des camps, personne ne l'a réclamée. À ce que je sais, elle et son frère étaient orphelins. Ils avaient grandi dans une institution publique à Chiloé. Quant au MIR, il a subi de très lourdes pertes dans le sillage du coup d'État. Nombre de ses militants figurent sur la liste des détenus disparus. Donc, pendant des années, personne ne l'a réclamée. Jusqu'au mois de mai dernier, à ce qu'il semble. Notre archiviste m'a appris qu'un vieux monsieur s'était présenté chez nous pour s'enquérir du sort d'Abril Lloyd.

Les trois Français se regardèrent d'un air entendu. Alvarez posa la question qui leur brûlait les lèvres.

– Il ne s'appelait pas Angel Navarro, par hasard ?

– Si. Comment le savez-vous ?

Après avoir vérifié que Navarro n'avait laissé aucune adresse, ils remercièrent Germán Vergara avec effusion et se retrouvèrent dans la rue. Turpin se sentait nauséeux, chancelant. Il annonça à ses deux compagnons qu'il avait besoin d'être seul et se mit à marcher sans but dans le centre de Santiago.

*

Il marcha longtemps, la tête basse, ruminant ses pensées. Il finit par déboucher sur la place d'armes et s'assit sur un banc, à l'ombre des palmiers. Deux vieilles Mapuches, qui vendaient des empanadas devant la cathédrale, l'approchèrent mais il n'avait pas faim. Il contemplait sans les voir les bâtiments coloniaux.

Abril Lloyd Guerrero. C'était donc elle. *Le printemps de ton nom*. Messand avait aimé successivement deux femmes qui portaient, dans des langues différentes, dans des pays si éloignés l'un de l'autre, le même prénom. S'était-il épris de Farvardine pour cette raison ? Avait-il cru retrouver dans la seconde l'émoi que lui avait causé la première ? Il tenta de se rappeler les mots de Cyrus Ebrahimi. La citation du sixième imam qui plaisait tant à Messand. *Notre cause est un secret voilé dans un secret*. Il fut pris de vertige. *Un secret sur un secret qui reste voilé dans un secret*. Messand avait vécu une existence à double fond. Une femme en cachait une autre. Une ville en cachait une autre. Téhéran, Santiago, deux capitales qui, sans le savoir, se ressemblaient. Deux pays secoués par des bouleversements violents, qui n'avaient bien sûr aucun lien, mais qui avaient résonné dans le cœur de Messand du même écho sinistre. Le vert, dont s'étaient revêtus les fedayin iraniens à l'assaut du régime impérial, était aussi la couleur de la junte. Une histoire dissimulée dans une histoire. Même la date du 11 septembre, qui signifiait depuis deux ans, pour le monde entier, l'acmé de la terreur islamiste, avait représenté pour Messand un autre effroi. Quel étrange emboîtement. Messand avait-il cru, dans cette confusion des peines, en enfouissant son chagrin dans un autre chagrin, en atténuer le poids ?

Le vol du manuscrit de Messand s'expliquait désormais. Le poème en exergue avait contenu deux niveaux de lecture : en surface, il laissait penser à la révolution islamique. Il évoquait en réalité, sous l'apparence des mots, une tragédie survenue au Chili. Mais qui l'avait su ? Qui avait eu intérêt à le faire disparaître ?

Il tenta d'imaginer la jeune Chilienne. Elle était âgée de vingt-deux ans lorsqu'elle s'était réfugiée à l'ambassade de France. Elle avait sans doute cru y être à l'abri. Mais elle était apparemment sortie de l'ambassade, de son plein gré, pour échouer sans détour à la Villa Grimaldi. Comment était-ce possible ? Une trahison ? Quelqu'un l'avait-il livrée aux militaires ? Était-ce l'exfiltration clandestine qui avait mal tourné ?

Il se souvint de la feuille de congé découverte aux Archives. Le 3 janvier 1974, Pierre Messand n'était pas encore revenu de France. Quel drame s'était donc joué à la grille de l'ambassade ? Et comment cet épisode obscur avait-il pu, trente ans plus tard, causer la mort du directeur politique ?

Turpin regagna son hôtel d'un pas lourd. Il tenta d'appeler Mazières, mais le standard du Quai d'Orsay lui répondit qu'il n'était pas joignable. L'ambassade était fermée en cette fin de semaine et il n'avait reçu aucun appel de Jean-Baptiste lui annonçant un message de Navarro. Pourquoi l'ancien portier ne le contactait-il pas ? Ce silence commençait à l'inquiéter. La planque des carabiniers autour des guichets du fonds de pension devait débuter le surlendemain. Il fallait absolument qu'ils se parlent.

*

Le dimanche 28 septembre, Turpin se retrouva seul. Alvarez prétexta la préparation des opérations de planque pour s'absenter, tandis que Lechâtel voulait faire des emplettes au marché indigène.

Après avoir tourné en rond dans sa chambre toute la matinée, Turpin sortit. Il monta dans un taxi et donna au chauffeur une adresse sur la commune de Peñalolén.

La Villa Grimaldi s'étalait dans un quartier semé d'arbres, entre un vélodrome et une grande surface de matériel de bricolage. Le site, une belle propriété de plusieurs hectares, était maintenant géré par une fondation. L'entrée était gratuite. Il pénétra dans l'enceinte et déambula sans but précis. Une brochure lui apprit que le domaine avait longtemps été, au XIXe siècle, un lieu actif de la vie culturelle chilienne, où se réunissaient des écrivains célèbres, des artistes. La DINA l'avait acquis par la force à la fin de 1973 et rebaptisé « caserne Terranova ». Il contempla dans un coin du jardin le mur des Noms, une stèle circulaire offrant une sépulture symbolique à deux cent vingt-neuf malheureux, exécutés ou disparus à jamais dans l'ancienne hacienda. Il vit aussi les cellules réservées aux femmes. L'aspect paisible et campagnard des lieux ne permettait pas vraiment de se représenter les souffrances qu'on y avait jadis infligées, songea-t-il. Il avait déjà ressenti cela en visitant, à Phnom Penh, le centre de détention de Tuol Sleng. Là-bas, cela avait été pire encore. Quelque vingt mille prisonniers y avaient péri. Mais en arpentant la cour engazonnée de cet ancien lycée, assourdi par le chant des oiseaux tropicaux, il avait peiné à entendre l'écho des suppliciés.

Il entra dans une grande salle dont les murs étaient tapissés de photographies d'anciens détenus. Certainement des clichés pris à l'arrivée. Comme à Tuol Sleng, les visages exprimaient un effroi viscéral et figé. Tous fixaient l'objectif, comme tendus dans un ultime effort pour y lire leurs tourments imminents. Les portraits ne portaient pas de nom. Il regarda plusieurs visages de femmes, cherchant à découvrir, en vain, si celui d'Abril Lloyd s'y trouvait.

En rentrant à son hôtel, vers 18 heures, il constata encore une fois qu'il était sans nouvelles de Navarro. Il attrapa son téléphone rageusement.

*

Son appareil se mit à vibrer sur la table de nuit. Jean-Baptiste se pencha pour regarder le minuscule écran bleu qui brillait dans la semi-obscurité de la chambre. C'était Turpin. Que lui voulait-il encore ? Décidément, son collègue avait le chic pour le solliciter au mauvais moment.

Debout contre la fenêtre, il regarda Adrien qui dormait. Du sable gris crissait sous ses pieds nus. Toute la matinée, ils avaient batifolé dans les vagues, emmenés par leurs cerfs-volants qui virevoltaient dans le vent comme deux papillons soûls. Puis ils s'étaient gavés d'huîtres et de poisson dans une gargote du front de mer, encore vêtus de leurs combinaisons noires, avant de regagner l'hôtel. Adrien avait sauté dans la douche et Jean-Baptiste l'y avait suivi. La peau d'Adrien, comme la sienne, sentait les algues et le caoutchouc. Ils avaient vidé le ballon d'eau chaude avant de s'écrouler en riant sur le lit, leurs longues jambes emmêlées, le souffle court. Ils riaient encore quand la joie les avait cinglés.

Il flottait toujours dans la chambre une odeur de sueur, de sexe et de savon, et il se demanda comment prolonger cet instant. Mais son téléphone continuait d'émettre des grognements colériques. Il l'attrapa et sortit en peignoir sur le palier, refermant doucement la porte derrière lui.

– Oui René, chuchota-t-il dans un soupir.

– Je vous dérange ?

Le jeune homme ne répondit pas, et Turpin prit ce silence pour un assentiment.

– Pouvez-vous vérifier si Navarro m'a laissé un message ? C'est dimanche, l'ambassade est fermée, et je n'ai pas accès à Internet dans mon hôtel.

– Je ne suis pas chez moi. J'ai encore vérifié hier, il n'y avait aucun message. Sinon, vous pensez bien que je vous aurais appelé. Mais laissez-moi voir si je peux me connecter.

Jean-Baptiste descendit à la réception, la main sur le combiné. Turpin n'entendit que des bribes de conversation. Il piaffait dans sa chambre, se demandant ce que pouvait bien fabriquer son collègue. La voix revint.

– Ça y est, René, j'ai pu me connecter. Attendez une seconde… Voilà. Oui, vous avez un message de Navarro !

Turpin émit un feulement.

– Que dit-il ?

– J'ai bien peur de ne pas tout comprendre. Je vous le lis en espagnol :

> Mañana temprano, váyanse a estación central y arrienden un auto. Agarren la panamericana norte y estén a las 10 : 00 en la primera gasolinera COPEC después del peaje de Lampa. Ahí les esperaré.

Turpin peinait à maîtriser son excitation. Il se força tout de même à traduire le message pour Jean-Baptiste.

– Soyez prudent, René. Qui sait où cet homme va vous conduire ?

Ignorant la mise en garde, Turpin le remercia précipitamment et raccrocha. Il hochait la tête dans un mouvement de triomphe. *Tôt demain matin, allez à la gare centrale et louez une voiture. Prenez la panaméricaine nord et soyez à 10 heures à la première station-service COPEC après le péage de Lampa. Je vous y attendrai.*

Le cœur battant, il forma le numéro de téléphone de Lechâtel sur son portable. Ils allaient devoir se lever tôt.

11

Ayant enfin laissé derrière eux les encombrements de Santiago, ils roulaient maintenant plein nord sur la bande d'asphalte qui relie l'Amérique australe à l'Alaska. Ils dépassèrent l'aéroport de Pudahuel et le paysage urbain se mit à changer au profit de serres et de hangars. Lechâtel était au volant et fredonnait doucement. À la gare centrale, il avait surpris son compagnon par l'aisance et la célérité avec lesquelles il s'était fait remettre les clés d'un véhicule.

Turpin n'était pas mécontent de la tournure des événements : Alvarez et ses carabiniers planquaient depuis 8 heures autour des deux guichets du fonds de pension. Ils avaient donc les mains libres pour rencontrer Navarro. Mais pourquoi celui-ci leur avait-il donné rendez-vous à la sortie de la ville ?

Au bout d'une demi-heure, ils franchirent le péage de Lampa, puis dépassèrent une station-service de Petrobras avant de trouver celle de COPEC. Lechâtel gara la Toyota un peu en retrait des pompes, devant la supérette. Il était 9 h 40. Ils patientèrent dans les gaz d'échappement, en observant distraitement les énormes camions bariolés qui entamaient leur périple vers le désert de l'Atacama. Turpin grilla successivement deux cigarettes sur le parking tandis que Lechâtel achetait des sandwiches à la purée d'avocat. Ils remontèrent en voiture et attendirent.

À 10 h 12, alors qu'ils grignotaient leurs sandwiches, le déclic d'ouverture de la portière arrière gauche se fit entendre et un individu monta rapidement dans le véhicule. Turpin se retourna et découvrit un vieil homme très maigre qui le regardait fixement.

– Angel Navarro ?

– *Por favor, arranque el motor y siga hacia el norte*, dit l'homme d'un ton sec.

Lechâtel démarra et reprit l'autoroute vers le nord. L'homme assis à l'arrière demeurait silencieux. Les dernières traces de l'agglomération disparurent et la voiture commença à serpenter parmi des collines abruptes mangées par les buissons.

Turpin se retourna à nouveau. Son aspect famélique et ses cheveux blancs ébouriffés donnaient à Navarro l'air d'un don Quichotte égaré dans le Cône Sud. Le diplomate se souvint de sa découverte aux Archives et tenta d'engager la conversation.

– Vous êtes originaire d'Espagne, n'est-ce pas ?

L'homme restait muet. Ils traversaient maintenant des vignobles, et des panneaux le long de la route faisaient la réclame de grands crus chiliens. Où Navarro les emmenait-il ? Pourquoi ne disait-il mot ? Turpin sentait croître son malaise quand la voix cassée du vieil homme emplit enfin l'habitacle.

– *Yo nací en Aragón*, commença-t-il. Je suis né en Aragon. Mes parents étaient cultivateurs.

Navarro se mit à dérouler l'histoire de sa jeunesse, qui avait la teinte jaunie d'une vieille photo.

– Nous étions très pauvres et vivions de peu. Mais dans ma famille, tout le monde était républicain. À la fin de février 1938, après la bataille de Teruel, mon père a compris que c'était fini. Il a vendu la ferme pour une bouchée de pain et nous sommes descendus à Barcelone, où le premier bateau disponible appareillait pour Valparaiso. Je venais d'avoir onze ans. C'est comme ça que je suis arrivé au Chili.

Quel destin, songea Turpin. Encore une de ces innombrables histoires de misère et d'exil. La tragédie d'une famille fuyant devant l'avancée des troupes franquistes pour se retrouver, trente-cinq années plus tard, à l'autre bout du monde, face à la soldatesque de Pinochet…

– Où nous emmenez-vous ? risqua-t-il.

– *À Puchuncaví. Donde la niña.*

Chez la petite. À Puchuncaví. N'était-ce pas le nom du village qu'avait mentionné Germán Vergara en évoquant le camp de Melinka ? Navarro les emmenait-il en pèlerinage sur le site de l'ancien centre de détention ?

– Quand M. Pierre m'a recontacté, poursuivit l'ancien portier, il y a bientôt deux ans, j'avais oublié cette histoire depuis longtemps.

– Quelle histoire ?

– L'histoire de la petite. Toutes ces histoires de réfugiés. C'était il y a si longtemps… Je pensais qu'il avait oublié, lui aussi. Mais le sort de cette fille continuait de le tourmenter. Après tant d'années.

– Racontez-nous.

Un panneau annonça qu'ils entraient dans la cinquième région. L'autoroute décrivit une immense courbe vers l'est avant de repartir dans la direction opposée. Lechâtel conduisait assez lentement, la vitesse étant limitée à cent kilomètres/heure. Turpin observa que la météo se dégradait peu à peu. De gros nuages noirs et ventrus obscurcissaient maintenant l'horizon. Il aperçut un hélicoptère qui tournoyait dans le ciel, juste au-dessus de l'autoroute. Le récit de Navarro avait la sonorité d'une ancienne légende, d'un temps révolu.

– *Llegó el día 7 de octubre de 1973. Me acuerdo de que era un domingo.* Je me souviens que c'était un dimanche. Elle avait dû sauter par-dessus la grille pendant la nuit. Je l'ai trouvée au petit matin, transie de froid, tapie contre le portail de la rue Condell. Elle s'était brisé une cheville en retombant chez nous. Il a fallu appeler un médecin qui lui a posé une attelle. Comme c'était la première femme à se réfugier dans notre ambassade, tout le monde était bouleversé. M. Pierre l'a installée à l'écart des autres, dans un cagibi du premier étage, près des bureaux de la mission militaire. Chacun était aux petits soins. M. Pierre lui apportait des livres, des magazines, des cassettes pour écouter de la musique. C'est comme ça que, petit à petit, ils sont tombés amoureux.

Ils arrivèrent dans une bourgade du nom de Nogales et Navarro s'interrompit. Il donna instruction à Lechâtel de quitter l'autoroute pour bifurquer vers l'ouest. La voiture s'éleva sur les contreforts de la cordillère maritime et atteignit le col en moins d'un quart d'heure. En contrebas devant eux, sur le Pacifique, une tempête se formait. La mer, frémissante et gonflée comme une paupière, prenait la teinte violacée d'une ecchymose.

– Mais vous l'avez retrouvée, n'est-ce pas ? demanda Lechâtel. Comment avez-vous fait ?

– Cela m'a pris du temps. J'étais persuadé qu'elle était morte. Quand M. Pierre m'a demandé de la rechercher, j'ai frappé à de nombreuses portes. Des vieux copains du MIR. Des prêtres. Des associations d'entraide. Personne ne savait ce qu'il lui était arrivé. C'est l'AFDD qui m'a finalement mis sur la piste.

J'avais entendu parler de très rares cas où les détenus étaient restés sur place après la fermeture des camps.

– Comment ça, sur place ! s'exclama Turpin.

– Oui, sur place. C'est arrivé quelquefois. À leur libération, certains prisonniers étaient tellement brisés, hébétés, qu'ils ne savaient plus où aller. Tous leurs proches avaient disparu. Ils n'avaient plus la force d'avancer, de se reconstruire. Personne ne les attendait, voyez-vous. Alors ils sont restés. *Como ropa colgada*. Comme du linge qu'on a oublié sur un fil.

La voiture dévalait une pente couverte de sable et de cactus. Quelques gouttes de pluie, grosses comme le poing, se mirent à marteler le pare-brise.

– Abril Lloyd vit encore à Melinka, continua Navarro. Elle est restée dans l'un des bungalows qui accueillaient les détenus. Elle a créé un potager, vend des légumes aux habitants du coin. C'est ainsi qu'elle survit, depuis bientôt trente ans.

Un panneau sur la route annonçait : Puchuncaví 2 km. Horcón 4 km. Turpin revint à la charge.

– Mais savez-vous comment elle est passée directement de l'ambassade de France à la Villa Grimaldi ? À ma connaissance, Pierre Messand n'était pas à Santiago à ce moment-là. Qu'est-il arrivé ?

– J'ignore les détails, *don Antrobus*. On ne me mettait pas au courant des exfiltrations. Tout ce que je peux vous dire, c'est qu'il y avait un autre… Attendez, ralentissez ! Tournez ici à droite, nous sommes arrivés.

À travers les vitres barbouillées par la pluie, ils contemplèrent le triste paysage qui s'ouvrait devant eux. Quelques cabanes en bois en mauvais état. Des herbes hautes. Derrière le lotissement, la baie de Ventanas scintillait faiblement. On apercevait un cargo échoué, couché sur le flanc comme un cétacé. Navarro fit signe à Turpin de descendre et suggéra à Lechâtel d'aller garer la voiture un peu plus loin, sous la charpente d'un hangar désaffecté.

Tandis que le chiffreur effectuait sa manœuvre, les deux hommes s'approchèrent d'un bungalow qu'on avait dû, jadis, badigeonner de bleu.

– Pierre Messand est-il venu ici ? s'enquit Turpin.

– *Claro*. Bien sûr. Je l'ai amené ici en août dernier, le 20, si je me souviens bien.

– Et dites-moi, au fait, pourquoi toutes ces précautions depuis que je vous ai contacté ? Vous avez peur ?

Navarro toqua à la porte du bungalow avant de répondre dans un rictus crispé.

– *No me fio ni de los pacos ni de los milicos*. Je ne me fie ni aux flics ni aux militaires. Ils sont encore puissants ici. Et M. Pierre a été tué. Il vaut mieux se montrer prudent.

La porte s'ouvrit en grinçant sur une femme d'une cinquantaine d'années qui portait une salopette jaune sanglée sur une tunique. *La Petite*, comme l'appelait Navarro, les observa plusieurs secondes d'un regard vert et vide. Une pluie iodée dégoulinait sur eux comme un sirop. Puis elle sembla reconnaître l'ancien portier et esquissa un sourire.

– *Don Angel, ¡qué sorpresa tan amable!*

Ils allaient entrer quand ils virent les traits d'Abril Lloyd se contracter. Elle regardait par-dessus leur épaule et ses lèvres commencèrent à trembler.

– *No, no, no*, balbutia-t-elle. *No puede ser.*

Turpin et Navarro se retournèrent. Lechâtel était campé dans l'allée. Il tenait une arme à feu dans sa main droite, qu'il pointait en direction d'Abril. Turpin était tétanisé.

– Mais enfin, Lechâtel, qu'est-ce que vous faites ? parvint-il à lancer.

Figé dans un nuage de buée, les pieds dans une flaque, le chiffreur ne parut pas entendre. Il cria vers Abril :

– *¡Al fin te encontré, zurda de mierda!*

*

Ils marchaient tous trois vers la côte, trébuchant parmi les fondrières d'une forêt de pins, Lechâtel sur les talons qui les poussait en les invectivant. Turpin, le visage fouetté par la tempête, croyait arpenter un mauvais rêve. Que se passait-il ? Pourquoi Lechâtel s'était-il soudain transformé en monstre ? Abril Lloyd avait semblé reconnaître en lui une figure surgie du passé… Qui était-il ? Étrangement, Turpin ne pensait pas à son propre sort. Il songeait à Messand, au voile de mystère qui avait enveloppé sa vie. À ses amours emboîtées comme des poupées russes. L'enquête sur le meurtre du 29 août allait-elle finir ici, au bord du Pacifique, dénuée d'explications ?

Abril avait le visage crispé et avançait en silence. Navarro marchait la tête basse, accablé, comme si les ombres lancées à sa poursuite soixante-cinq ans plus tôt sur les plateaux d'Espagne l'avaient enfin rattrapé. Ils traversèrent une petite route de campagne et Turpin, avisant un camion qui fendait l'averse en venant vers eux, fut tenté de faire des signes au chauffeur.

– N'y pensez même pas, siffla Lechâtel en montrant la bosse que faisait l'arme sous sa veste. Allez, continuez à avancer.

Ils cheminèrent une bonne demi-heure dans les dunes détrempées, croisant çà et là des chiens efflanqués et transis, passant près de villas de vacances dont les pelouses n'avaient pas été tondues de tout l'hiver. Lechâtel les poussait devant lui comme un petit troupeau docile et résigné. Où nous emmène-t-il donc ? se demanda Turpin en entendant grandir devant lui un sinistre grondement.

Ils finirent par atteindre un rivage déchiqueté, formé de falaises abruptes contre lesquelles la mer, qui avait viré au noir, projetait des gerbes spectaculaires. Turpin, qui commençait à paniquer pour de bon, se tourna vers Lechâtel.

– Mais qui êtes-vous ?

– Disons qu'Abril Lloyd et moi, nous nous connaissons depuis longtemps. Une vieille histoire. N'est-ce pas, petite gauchiste ? ricana le chiffreur en la regardant.

Abril restait les yeux baissés, courbée, s'agrippant les épaules de ses mains. Navarro semblait prostré. Turpin tenta d'insister.

– Vous vous êtes connus au Chili ? À l'époque du coup d'État ? Mais que faisiez-vous dans ce pays, Lechâtel ?

– Vous posez trop de questions, Turpin. De toute façon, le voyage s'arrête ici pour vous trois. Tout le monde descend.

– Vous allez nous abattre ? Ici ?

– Pas besoin de balles, répondit Lechâtel en rigolant. Il s'agit seulement d'une promenade. Mais une promenade qui tourne mal. La tempête, les vagues… Les promeneurs se font facilement emporter, dans ces parages. Commençons par cette salope de communiste.

À l'instant où il empoignait Abril pour la pousser vers l'abîme, Navarro se jeta sur le chiffreur qui perdit l'équilibre et dut lâcher la femme. Les deux hommes luttèrent un moment sous l'averse, à mains nues, dans un combat à l'issue incertaine. La pluie redoubla d'intensité. Turpin distinguait à peine les deux silhouettes collées l'une à l'autre. Le cri rauque d'une corne de brume se fit entendre en contrebas sur la mer. Turpin se prit à espérer, un court instant, que quelqu'un les ait aperçus.

Mais c'était impossible, on n'y voyait pas à trois mètres. Lechâtel et Navarro demeuraient figés dans une étreinte presque immobile.

Il y avait quelque chose d'incongru dans cette empoignade, et il mit un moment à se rappeler que les deux combattants n'étaient plus tout jeunes. Leurs gestes étaient lents, poussifs, comme amortis par l'âge et la pluie. Puis un coup de feu partit et Navarro s'effondra. Turpin se sentait incapable du moindre mouvement et ferma les yeux. Un second coup de feu retentit. Par instinct, il plongea vers le sol et se cogna violemment le genou gauche contre un rocher.

Le silence se fit. Il demeura longtemps pétrifié, couché dans la boue, laissant la pluie lui marteler les paupières avec obstination. Qui était donc Lechâtel ? Curieusement, Turpin sentit s'évanouir en lui la peur de la mort au profit d'un sentiment de frustration. Que s'était-il passé à Santiago trente ans plus tôt ? Quel était ce lien entre Abril et Lechâtel ? Allait-il donc disparaître sans connaître la fin de l'histoire ?

Quand il se risqua à rouvrir les yeux, le chiffreur et l'ancien portier gisaient tous deux à terre et ne bougeaient plus. Un vacarme assourdissant envahit le ciel. Turpin reconnut le bruit d'un rotor d'hélicoptère. Abril était toujours debout et montrait du doigt la lisière du bois. Plusieurs uniformes verts émergèrent de la pinède. Et un homme en civil. Turpin reconnut instantanément Alvarez qui accourait vers lui.

*

– Vous boudez, Turpin ?

Ils étaient de retour au bungalow d'Abril, assis dans une petite pièce qui tenait lieu à la fois de cuisine, de salon et de chambre à coucher. Turpin, roulé dans une couverture, s'était débarrassé de ses vêtements détrempés pour les laisser sécher près d'un vieux poêle en fonte. Il contempla les murs de bois blanchis à la chaux. La photo en noir et blanc d'un jeune homme beau et ténébreux était posée par terre, près du lit. Le frère d'Abril ? Il n'y avait en revanche aucun portrait de Messand.

Avant de quitter le rivage, un infirmier lui avait bandé le genou. La pluie avait enfin cessé. Les dunes, en se réchauffant, exhalaient une vapeur tiède. Il avait vu disparaître le corps inerte de Lechâtel sur un brancard tandis que Navarro était poussé vers une ambulance. L'escapade qu'il avait dissimulée à Alvarez avait tourné au désastre. Il éprouvait une gigantesque honte en même temps qu'un profond accablement.

– Avouez qu'il était moins une ! insista l'enquêteur.

– Comment nous avez-vous trouvés ?

Alvarez riait doucement.

– Je vous le répète, Turpin, vous me prenez vraiment pour un bleu. Ne vous ai-je pas expliqué, à Paris, que nous avions cassé le code de la messagerie de Messand ? C'est tout simple. Nous avons procédé de la même façon pour celle de Navarro. J'ai donc suivi avec beaucoup d'intérêt vos petits échanges avec lui depuis le 19 septembre.

– Pourquoi n'avez-vous rien dit ?

– Je vous ai laissé faire, parce que je me doutais que vous aviez plus de chances que moi de nous conduire jusqu'à lui. Vous n'êtes pas flic. Il ne s'est pas méfié. C'est exactement ce que j'espérais.

Abril entra, suivie par un carabinier qui la fit asseoir sur une chaise et se pencha vers elle avec prévenance en parlant à voix basse. Elle hocha la tête et l'homme se retourna pour remplir d'eau une bouilloire et la mettre à chauffer.

– Hier soir, poursuivit l'enquêteur, j'ai donc trouvé en même temps que vous le message de Navarro qui vous donnait rendez-vous sur l'autoroute. Les carabiniers ont été formidables, ils ont mobilisé un hélicoptère et nous avons pu vous suivre tout au long de votre périple vers le nord.

Turpin haussa les épaules et se tourna vers Abril.

– Qui est Lechâtel ? demanda-t-il doucement en espagnol. Qui était-il il y a trente ans ? Comment l'avez-vous connu ?

La femme se mit à trembler et se retourna, cherchant des yeux le carabinier qui préparait du café derrière elle. Il lui fit un signe de tête rassurant mais elle resta silencieuse.

– Doucement, Turpin, chuchota Alvarez en français. Rappelez-vous ce que nous a rapporté Vergara, à Santiago. D'après ses codétenus, elle ne parlait déjà pas beaucoup.

– Mais on peut l'interroger, tout de même, non ?

– On peut essayer. Mais faites-le en présence du carabinier. Je vous rappelle que nous sommes au Chili. Ni vous ni moi ne jouissons directement d'un pouvoir d'enquête.

Turpin attendit que le carabinier eût servi le café et se fût assis avec eux. Il essaya sous un autre angle.

– Qui vous a fait sortir de l'ambassade de France le 3 janvier 1974 ? Vous vous rappelez ? Est-ce que c'était Pierre Messand ?

Le regard d'Abril resta baissé mais elle secoua la tête de droite à gauche, dans un signe de dénégation.

– Qui, alors ? Qui vous a fait sortir ? insista Turpin.

Un filet de voix se fraya un chemin entre les lèvres gercées d'Abril.

– *No sé quién era. En la embajada lo llamaban Huguito.*

Son regard quitta la table et traversa la pièce pour aller se fixer près du lit, sur la photo du jeune homme. *Je ne sais pas qui il était. À l'ambassade on l'appelait Huguito.* Huguito. Le diminutif de Hugo. Un Chilien employé par l'ambassade ?

– Vous l'avez dit à Pierre Messand ? Vous lui avez parlé de ce Huguito quand il est venu vous voir, en août dernier ?

Elle hocha de nouveau la tête, cette fois dans un sens affirmatif. Le regard toujours planté dans la photo, elle émit soudain une plainte stridente.

– *Había dicho que me llevaría a ver a mi hermano.*

Elle fut secouée par une série de tremblements et se mit à sangloter. *Il avait dit qu'il m'emmènerait voir mon frère.* Turpin, penché sur la table, voulut poursuivre.

– Mais qui, Abril ? Qui était ce Huguito ? Un Chilien ? Un recruté local de l'ambassade ?

Abril frémissait maintenant de tout son corps. Le carabinier s'interposa et fit un geste de la main pour signifier que l'interrogatoire était terminé.

– C'est fini pour cette fois, Turpin, dit Alvarez. Vous voyez bien qu'elle est en état de choc. Les carabiniers ont décidé de l'emmener dans une clinique à Viña del Mar, près de Valparaiso. Je doute qu'elle soit visible avant plusieurs jours.

*

Ils roulaient maintenant vers Santiago et traversaient en sens inverse les vignobles qu'il avait contemplés le matin même. Turpin eut l'impression qu'il était passé là des années plus tôt. Il mourait d'envie de fumer. Alvarez dut lire dans ses pensées car il décréta une pause-café dans un restaurant au bord de la route.

– Comment Lechâtel a-t-il pu se procurer une arme à feu ? se demanda Turpin à voix haute, une fois attablé.

– Il était muni d'un CZ 75, un pistolet de fabrication tchèque qui utilise des munitions de 9 mm. J'ai vérifié auprès des carabiniers, c'est une de leurs armes de dotation, la plus courante, à ce qu'il semble.

– Il aurait donc eu des contacts ici, au Chili ? Des connaissances susceptibles de lui procurer ou de lui vendre un pistolet ?

– Il faut le croire. Mon hypothèse, c'est qu'il se l'est procuré hier après-midi, quand il a prétendu vouloir se rendre au marché indigène. Nous allons fouiller sa chambre en rentrant à Santiago. Il sera facile de vérifier s'il y a fait ou non des emplettes.

Turpin consulta sa montre. Il était 17 heures à Paris. Il alluma son portable et se décida à appeler Mazières. Le secrétaire général savait-il que son chiffreur était un meurtrier psychopathe ? Cette histoire ne tenait vraiment pas debout. On lui répondit que Mazières était en déplacement, cette fois-ci en Inde. Il serait difficilement joignable avant le lendemain soir. Il réfléchit un moment puis composa le numéro de sa propre ligne directe au Quai d'Orsay. Comme il l'espérait, ce fut le jeune Bruxel qui répondit.

– Jean-Baptiste, j'ai besoin d'un petit service. Pouvez-vous ouvrir l'annuaire diplomatique et me lire rapidement ce que contient la notice de Maurice Lechâtel ? C'est un chiffreur.

Il attendit quelques secondes en sirotant son café. Jean-Baptiste revint sur la ligne :

– Voilà… Maurice Lechâtel… Né le 13 mai 1948 à Bayonne… Services militaires de 1982 à 1992.

En juin 1992, intégré dans le corps des chiffreurs spécialistes des transmissions cryptologiques du ministère des Affaires étrangères… Chiffreur à l'Administration centrale de 1992 à 1995… À Moscou de 1995 à 2000… De retour à Paris depuis septembre 2000. C'est tout ce qu'il y a.

Turpin réfléchissait. L'expression « services militaires », suivie de la mention d'une intégration directe, sans passage par un concours de la fonction publique, évoquait le quota des emplois réservés : une voie étroite qui permettait chaque année à une poignée d'individus, souvent d'anciens soldats, d'entrer au Quai d'Orsay. Cela concordait en tout point avec ce que lui avait dit Mazières. *Il est passé par l'armée avant d'entrer au Quai d'Orsay.* La question était de savoir ce que Lechâtel avait bien pu faire avant 1982.

– Jean-Baptiste, reprit-il, connaissez-vous quelqu'un dans la direction des Ressources humaines ? Quelqu'un en qui vous ayez confiance, et qui ait accès aux dossiers personnels des agents ?

– Non, pas à la DRH. Mais j'ai un bon contact à l'Inspection générale.

– Quelqu'un qui vous est proche ?

Turpin eut la nette sensation d'entendre son interlocuteur glousser, à plus de onze mille kilomètres de distance.

– Oui, René, on peut dire ça.

– Alors appelez-le tout de suite et demandez-lui de jeter un œil au dossier nominatif de Maurice Lechâtel. Je voudrais savoir dans quelle arme il a servi, et ce qu'il a fait avant 1982. Pour autant que cela figure dans son dossier. Rappelez-moi sur mon portable dès que vous aurez quelque chose.

Ils reprirent la route. Santiago n'était plus qu'à une trentaine de kilomètres.

– Je me demande bien qui est ce Huguito dont a parlé Abril, dit Turpin. Et je donnerais cher pour savoir qui elle a reconnu dans Lechâtel. Vous auriez dû voir sa réaction quand elle l'a aperçu devant son bungalow. Elle était morte de peur.

– Je crains qu'elle ne reste choquée un bon moment.

– Quelle barbe ! Et Navarro ? Il semblait être sur le point de me dire quelque chose quand nous sommes arrivés à Melinka.

Un vaste sourire se peignit sur le visage de l'enquêteur.

– Navarro devrait être en état de parler dès demain. Il a pris une balle dans le buffet, mais c'est un coriace. Un fils de républicains espagnols, comme moi ! Il va être admis à l'hôpital des carabiniers, sur la commune de Ñuñoa, à Santiago.

*

Quand ils furent arrivés à l'hôtel, Turpin monta prendre une douche tandis qu'Alvarez et ses carabiniers se préparaient à entrer dans la chambre de Lechâtel. Il resta longtemps sous le jet d'eau chaude, nettoyant sa peau des boues et des peurs qui s'y étaient collées, heureux d'être en vie. Il serait bientôt 19 heures à Paris et il se demandait si Jean-Baptiste parviendrait dès aujourd'hui à le renseigner quant au passé du chiffreur fou.

Le téléphone de sa chambre sonnait quand il sortit de la salle de bains. C'était Alvarez.

– Turpin, venez vite. J'ai quelque chose à vous montrer.

Il traversa le couloir vêtu d'un peignoir. Le bagage de Lechâtel gisait sur le lit, les tripes à l'air.

– Nous n'avons trouvé aucun objet d'artisanat indigène parmi ses affaires. Mais regardez plutôt cela.

C'était dans sa mallette cabine. Je crois que Mme Messand sera contente.

Alvarez lui tendit un objet métallique. Une montre-poignet. Au centre du cadran noir, juste au-dessus du chronomètre en quartz, figurait une inscription calligraphiée en lettres dorées :

هوانيروز

C'est à cet instant précis que Turpin entendit son portable sonner dans sa chambre. Il retraversa le couloir en courant. C'était Jean-Baptiste.

– René, je crois que mon contact à l'Inspection générale a trouvé quelque chose qui vous intéressera.

– Dites-moi.

– Sur la carrière militaire de Lechâtel, d'abord. Il a servi dix ans dans la Légion étrangère. Deux fois cinq ans, de 1982 à 1992. Il était affecté au 2e régiment étranger de parachutistes, à Calvi. Mais ça n'est pas tout.

Turpin sentit son estomac se nouer. Bruxel poursuivait.

– Apparemment, il a changé de nom en s'enrôlant dans la Légion. À l'origine, il s'appelait Mauricio Castillo Sandoval. De nationalité chilienne, né le 13 mai 1948 à Valparaiso. Il a acquis la citoyenneté française par naturalisation en 1987.

*

Turpin dormit cette nuit-là d'un sommeil de plomb, sans rêve, comme si les événements de la journée l'avaient anesthésié. Au cours de la matinée du lendemain, il fallut moins d'une heure à Germán Vergara pour retrouver la trace de Mauricio Castillo Sandoval dans ses fichiers : jeune lieutenant des carabiniers, il avait été versé dès novembre 1973 dans l'organisme de répression interarmes qui s'appellerait par la suite la DINA. Il avait gagné ses galons de major, puis de lieutenant-colonel à la Villa Grimaldi, où il avait figuré parmi les tortionnaires les plus en vue. À la dissolution de la DINA en 1977, il avait poursuivi sa carrière au sein de l'organe successeur, la CNI – Central Nacional de Informaciones. L'AFDD le suspectait d'avoir trempé dans l'assassinat, en février 1982, d'un syndicaliste de gauche, forfait qui avait provoqué une profonde émotion dans tout le pays, à tel point que la junte avait dû diligenter une enquête. Il avait disparu des radars de l'association à ce moment-là.

Le diplomate se souvenait maintenant de l'aisance avec laquelle le vieux chiffreur s'était mu au Chili en sa présence ; de son appétit désormais explicable pour des spécialités chiliennes, les sandwiches à l'avocat, l'infâme breuvage qu'il avait englouti avec délectation devant les étals du cerro Santa Lucía… Tous les signes étaient là, devant lui, mais il n'avait rien vu.

Turpin et Alvarez furent heureux de pouvoir informer l'avocat de la suite du parcours de Castillo. Mais tous ces éléments n'expliquaient toujours pas ce qui était arrivé le 3 janvier 1974 : comment Abril Lloyd Guerrero s'était-elle retrouvée à la Villa Grimaldi dès sa sortie de l'ambassade ? Et en quoi cet événement impliquait-il Messand, lequel n'était pas encore rentré à Santiago à cette date ? Le mystère quant au mobile véritable de son assassinat demeurait donc entier.

Turpin avait hâte de joindre Mazières. Il se demandait comment le secrétaire général réagirait en apprenant que son chiffreur attitré, non content d'avoir assassiné

Messand et tenté de tuer trois personnes le jour précédent, avait compté parmi les tueurs les plus sanguinaires que le Chili eût connus sous la dictature. Il appela l'ambassade pour faire modifier son billet de retour : autant reprendre l'avion le soir même, puisqu'on savait désormais qui avait tué Messand, et que son meurtrier était passé de vie à trépas.

Il se présenta à l'hôpital des carabiniers vers midi, tandis qu'Alvarez s'affairait au commissariat central afin de clore le rapport sur le décès de Castillo-Lechâtel.

Dressé dans son lit aux couvertures vert olive, sanglé par un bandage qui lui enserrait tout le torse, Navarro avait l'air d'un épouvantail indigné.

– *¡Es un colmo, don Antrobus!*, glapit-il. Pour un républicain comme moi, un gauchiste de la première heure. Finir dans le lit des carabiniers. Un comble, vraiment !

Turpin sourit au nom que lui donnait encore Navarro. Il avait presque oublié la petite farce durrellienne qu'il avait jouée à Jean-Baptiste au moment de créer sa messagerie privée.

– Allons, monsieur Navarro. Cette fois-ci, ce sont des hommes en uniforme qui vous ont sauvé la vie. Et puis vous n'allez pas finir ici. Le chirurgien qui vous a opéré vient de me dire que vous pourriez sortir dans deux jours. La balle n'a traversé aucun organe vital. Vous avez eu de la chance !

Turpin informa le vieil homme de l'identité réelle de son agresseur et s'efforça tant bien que mal de l'amener à reprendre le fil de leur conversation de la veille, interrompue lorsqu'ils arrivaient à Puchuncaví.

– *Don Angel*, quand Pierre Messand est venu au Chili en août dernier, avez-vous assisté à ses échanges avec Abril Lloyd ?

– Non, bien sûr que non. Je les ai laissés seuls. Ils ne s'étaient pas vus depuis trente ans, *pobrecitos*. Et puis ma tâche s'arrêtait là. À la retrouver, je veux dire.

– Vous ne vous souvenez vraiment pas de ce qui s'est passé le 3 janvier 1974 ? Le jour où Abril Lloyd a quitté l'ambassade… Qui s'est chargé de son exfiltration ? Elle a mentionné un nom. Huguito. Ce nom vous dit-il quelque chose ? Était-ce un employé chilien ?

Le regard de Navarro se perdit dans le vide.

– *Había otro diplomático, señor Antrobus…* Ça, je m'en souviens.

– Un autre diplomate ? De l'ambassade ? C'est un autre diplomate qui s'est chargé de faire sortir Abril ?

– Oui, mais pas de l'ambassade. *Otro señor, que había venido desde París para ayudar.*

Turpin était suspendu aux lèvres asséchées de l'ancien portier. Une infirmière en blouse verte entra dans la chambre pour vérifier l'écoulement de la perfusion. Navarro lui lança un regard noir. *Un autre monsieur, venu de Paris pour aider*. L'infirmière sourit aux deux hommes puis repartit.

– Un diplomate de renfort ? Vous voulez parler d'un agent de renfort ?

– Oui, c'est ça. Il nous avait rejoints début novembre, et je crois qu'il est resté trois mois.

– Vous vous rappelez son nom ?

Le cœur de Turpin battait à tout rompre.

– Non, je ne m'en souviens plus. C'était un jeune gars, comme M. Pierre. Mais moins gentil que lui…

L'infirmière revint pour annoncer à Turpin qu'il devait s'en aller. Le patient avait besoin de repos. Les visites ne devaient pas excéder une demi-heure. Il venait de se lever pour prendre congé de Navarro quand celui-ci lui agrippa l'avant-bras.

– Je me souviens seulement d'une chose. Il n'aimait pas beaucoup le Chili. Il employait une expression curieuse pour en parler. *Un país tan largo como un día sin pan, decía.* Quel drôle de type…

*

Turpin regagna la rue Condell dans un état second. *Un pays long comme un jour sans pain*… Une seule personne avait employé cette expression devant lui pour évoquer le Chili. Le renseignement ténu fourni par Abril bourdonnait aussi dans son oreille. Huguito. Hugo. *Hugues*… Comment croire à une telle coïncidence ?

Il se présenta à l'ambassade et demanda qu'on lui prête un exemplaire de l'annuaire diplomatique. Le premier secrétaire le fit asseoir dans son bureau et s'exécuta. Turpin ouvrit la bible du Quai d'Orsay, cette fois à la lettre P, et trouva rapidement la notice qu'il cherchait.

> PRATEAU de MAZIERES (*Hugues*, Antoine), né le 3 octobre 1940 ; diplôme de l'Institut d'études politiques de Paris ; licence d'histoire ; ancien élève de l'École nationale d'administration, promotion « Jean Jaurès », 1969.
>
> Ministre plénipotentiaire de 1re classe.
>
> À l'École nationale d'administration, 1967-1969 ; nommé et titularisé secrétaire des Affaires étrangères, 2 juin 1969 ; deuxième secrétaire à Moscou, 1969-1972 ; à l'Administration centrale (Europe), 1972-1975 ; premier secrétaire à Washington, 1975-1979 ; premier conseiller à la délégation permanente de la France auprès de l'OTAN à Bruxelles, 1979-1981 ; à la présidence de la Répu-

blique, 1981-1984 ; chevalier de la Légion d'honneur, 13 juillet 1984 ; ambassadeur extraordinaire et plénipotentiaire à Lisbonne, 1984-1987 ; ambassadeur extraordinaire et plénipotentiaire à Ankara, 1987-1990 ; à la présidence de la République (conseiller diplomatique), 1990-1995 ; officier de la Légion d'honneur (2 janvier 1995) ; ambassadeur extraordinaire et plénipotentiaire à Moscou, 1995-2000 ; secrétaire général du ministère des Affaires étrangères, août 2000.

Turpin se demanda s'il était, une fois de plus, victime de son imagination débordante. Puis il se souvint que les séjours de renfort, d'une durée inférieure à un an, n'étaient jamais consignés dans l'annuaire. On n'en trouvait trace que dans les replis secrets des dossiers personnels. Il forma de nouveau son propre numéro à Paris.

– Jean-Baptiste, c'est encore moi. Vraiment désolé de vous harceler de la sorte.

– Je vous en prie, René. Je suis ravi de vous être utile.

Il perçut l'excitation du jeune homme au bout du fil.

– Pensez-vous pouvoir solliciter à nouveau votre contact à l'Inspection générale ?

Il eut encore la sensation d'entendre Bruxel pouffer en silence.

– Oui, René.

– Bien. Alors demandez-lui de sortir le dossier de Mazières.

Il y eut un très long silence. L'excitation venait de céder la place à l'effroi.

– Mazières ? Le secrétaire général ? Vous êtes bien sûr de ce que vous me demandez, René ?

– Absolument. J'ai besoin de savoir s'il a effectué une mission au Chili en 1973. Naturellement, il n'y a rien dans l'annuaire à ce sujet. Mais si c'est le cas, cela doit figurer dans son dossier. Rappelez-moi sans tarder si vous trouvez quelque chose.

*

Une nouvelle fois, l'esprit un peu coupable, il prit sur lui de dissimuler à Alvarez sa suspicion. L'enquêteur ne prévoyait de regagner Paris que le surlendemain. Le cas échéant, Turpin disposerait ainsi de vingt-quatre heures d'avance pour confronter Mazières.

Il fit son bagage, régla sa note d'hôtel, et prit congé d'Alvarez par téléphone avant de gagner l'aéroport. Il fumait en salle d'embarquement quand Bruxel le rappela.

– C'est confirmé, René. Mazières a bel et bien effectué une mission de renfort au Chili, quand il était rédacteur à la direction d'Europe. Du 1er novembre 1973 au 31 janvier 1974. J'ai sous les yeux une copie de l'ordre de mission. Il vous faut autre chose ?

12

– Si je comprends bien, je vais devoir me trouver un nouveau chiffreur.

Il n'aurait su dire si Mazières s'essayait à faire de l'humour. Le secrétaire général avait sa mine chiffonnée des mauvais jours. Les stores avaient été abaissés devant les fenêtres et le grand bureau était plongé dans une pénombre orangée.

– Pourquoi m'avez-vous caché que vous aviez servi au Chili avec Messand ?

Mazières avait les yeux dans le vague. Plus d'un mois s'était écoulé depuis la mort du directeur politique. Turpin songeait avec ressentiment au temps perdu. Aux mauvaises pistes qu'il avait suivies avec Alvarez. Au vain détour par Téhéran. Au temps qui lui avait été nécessaire, au Chili, pour faire le lien entre le Huguito d'Abril et l'homme assis maintenant devant lui. Il n'y avait rien d'étonnant à ce qu'Abril n'ait pas identifié Mazières avec précision. Certes, elle était déjà là lorsqu'il avait rejoint l'ambassade, au tout début novembre 1973. Mais elle devait être encore cloîtrée dans son cagibi du premier étage, couvée à toute heure par Pierre Messand, et n'avait sans doute pas enregistré son arrivée. Pour elle, Huguito n'avait été qu'un employé de plus, une ombre aperçue derrière les épaules protectrices de Messand.

– Vous avez fait du bon travail, finit par lâcher Mazières. Je n'imaginais pas que vous iriez aussi vite.

Turpin se sentit sur le point d'exploser.

– Je vais vous dire ce que je pense. Vous étiez de mèche avec Lechâtel depuis le début. Vous avez tous deux maquillé le crime pour accréditer la piste iranienne. Voilà pourquoi vous étiez si pressé de m'expédier à Téhéran.

Mazières le dévisageait d'un air mauvais. Turpin s'efforça de ne pas se laisser intimider et poursuivit d'une voix blanche :

– Ce que j'ignore encore avec précision, c'est le rôle que vous avez personnellement joué, le 3 janvier 1974, dans le transfert d'Abril Lloyd à la Villa Grimaldi. Et la nature de votre lien avec Lechâtel. Mais j'espère que vous allez m'éclairer.

Mazières le regardait toujours. Un long moment s'écoula tandis que les stores se mettaient à rougeoyer dans le soleil couchant.

– Les choses sont parfois plus complexes qu'il ne paraît à première vue, Turpin.

Le secrétaire général décrocha son téléphone et demanda à son assistante de veiller à ce qu'on ne le dérange pas au cours de l'heure suivante. Puis il ouvrit un tiroir et en sortit un paquet de cigarettes. Il en alluma une. Turpin ne l'avait jamais vu fumer.

*

– Je n'ai jamais su pourquoi l'Administration m'avait choisi pour effectuer cette mission de renfort au Chili. J'étais rentré de Moscou depuis un an. Je me trouvais bien au chaud à la direction d'Europe, en charge des relations avec l'Union soviétique. Il est vrai que je n'étais pas débordé… Les accords SALT avaient été signés en mai 1972. La France était restée sur le banc de touche. On vivotait. Mais enfin, je ne connaissais strictement rien à l'Amérique latine.

Mazières, tassé dans son fauteuil, disparaissait derrière des volutes de fumée bleue.

– Toujours est-il que je suis arrivé à Santiago début novembre. L'ambassade était sens dessus dessous, les réfugiés campaient dans tous les coins, le pauvre Messand était débordé. J'ai donc mis la main à la pâte pour seconder l'ambassadeur. Mais au fond, je peinais à m'identifier au malheur de ces gens. Pour moi, qui revenais de Moscou, il semblait plutôt sain de voir un pays comme le Chili faire la chasse aux communistes. Même si Pinochet et sa clique y sont sans doute allés un peu fort, j'en conviens. Mais bon, on ne fait pas d'omelette sans casser des œufs…

– Vous avez vu beaucoup d'omelettes, au cours de votre séjour au Chili ?

Le secrétaire général ne releva pas. Il fumait la main en l'air, dans une pose assez élégante qui rappela à Turpin des gravures de mode des années 1930. Depuis quand n'avait-on plus fumé dans ce bureau ?

– Et puis j'ai fait la connaissance d'Abril, et tout a changé… Pierre l'avait installée à l'étage, dans une petite pièce où elle était seule. Il la couvait comme un oiseau blessé, lui donnait la becquée, s'enfermait avec elle des heures durant.

Il soupira longuement.

– C'était une fille magnifique. Elle avait les yeux verts, d'un vert luminescent. Le regard océanique de ses aïeux gallois… La bourgade où elle était née marque l'extrémité de la route panaméricaine. Une fille du bout du monde. Une fille du Sud. J'imagine qu'on vous l'a dit, là-bas. Mais vous le savez, dans un pays comme le Chili, tout est à l'envers. Une fille du Sud, c'est en fait une fille du Nord. Elle venait d'une île fouettée par les embruns, mangée par la brume. Et moi aussi, je me suis retrouvé tout à l'envers. J'étais chamboulé par cette fille qui, le soir, dans le silence inquiet du couvre-feu, racontait des histoires étranges, des légendes de son île, des récits de vaisseaux fantômes, de marins soûls égarés dans le brouillard…

Turpin transpirait. Il se sentait presque gêné d'assister à ce déballage intime de la part d'un homme qu'il avait toujours considéré sous le seul angle d'une froide hiérarchie.

– Jour après jour, elle m'a ensorcelé. Je n'avais jamais ressenti cela jusque-là, cette dépendance amoureuse, cette espèce d'addiction qu'on peut parfois éprouver vis-à-vis de quelqu'un. C'était davantage que du désir. Elle me hantait. Je me sentais tout petit devant elle… Mais elle n'en avait que pour Messand. Leur amour était réciproque, c'était manifeste. Elle n'avait même pas un regard pour moi. J'étais jeune. Petit à petit, j'en ai conçu une jalousie qui a fini par me ronger. Nous vivions en vase clos dans cette ambassade assiégée. Les tensions entre réfugiés étaient grandes. Et cette romance entre Abril et Pierre s'épanouissait sous mes yeux. J'en étais malade. Littéralement. J'ai commencé à faire des insomnies. J'avais des courbatures en me levant le matin…

Turpin était bouche bée. Mazières se dressa et se mit à arpenter la pièce.

– Vers la mi-décembre, l'ambassadeur a insisté pour que Messand prenne des congés. Il le trouvait épuisé. Évidemment, Pierre n'avait aucune envie de partir. Il s'ingéniait à trouver un moyen pour faire sortir Abril du

Chili. Son intention était de lui faire gagner la France, et de l'y retrouver par la suite. Mais Henri de Morteau n'a rien voulu savoir. Il lui a intimé l'ordre de rentrer pour les fêtes.

Le secrétaire général s'arrêta devant une fenêtre. Il remonta le store qui l'obstruait et contempla la Seine. Au pont Alexandre III, Pégase flambait et tirait sur sa bride, sur le point d'échapper à la Renommée de la Guerre.

– J'ai rencontré Castillo quelques jours après le départ de Messand, dans un café du centre-ville. C'est lui qui m'a approché. Il était en civil, vêtu d'un jean. Les cheveux un peu longs, comme c'était la mode à l'époque. Il parlait un français parfait, et m'a expliqué qu'il avait fait toute sa scolarité au lycée français. Il s'est présenté à moi comme un militant du MIR. Je ne me suis pas méfié. J'aurais dû. Les ambassades qui accueillaient des réfugiés étaient régulièrement les cibles de provocations, de coups tordus. Mais j'étais au Chili depuis trop peu de temps. Et j'étais jeune, naïf, inexpérimenté. Je l'ai cru.

De nouveau, il poussa un profond soupir.

– Il m'a raconté qu'il venait de la part d'Enrique Lloyd Guerrero, le frère d'Abril. D'après Castillo, celui-ci se cachait quelque part, dans le piémont andin. Il attendait que sa sœur le rejoigne pour filer clandestinement vers l'Argentine.

Mazières revint s'asseoir et alluma une autre cigarette.

– J'ai hésité un moment. Mais il semblait crédible. En gage de sa bonne foi, il avait apporté des photos où le frère et la sœur figuraient ensemble. Des photos intimes, de leur petite enfance. J'ai compris plus tard qu'elles avaient été volées à leur domicile, à Chiloé, lors d'une perquisition. Pour ma part, j'étais obsédé à l'idée du retour prochain de Pierre Messand. J'avais perdu la tête. L'idée avait germé en moi comme une mauvaise herbe. Je voulais qu'Abril ne soit plus là au retour de Pierre. Si je ne pouvais pas l'avoir, il ne l'aurait pas non plus.

– Et vous l'avez livrée à Castillo, dit sombrement Turpin.

– Oui. Le 3 janvier, je l'ai fait sortir de l'ambassade et l'ai emmenée chez moi. Elle était très excitée à la perspective de retrouver son frère. Castillo est venu la récupérer à mon domicile, et ils ont disparu tous les deux.

Turpin songeait aux tristes nouvelles écrites par Pierre Messand. *Comment une tyrannie transforme les individus dans leur façon d'aimer*, avait dit Farvardine. Le jeune diplomate avait-il suspecté la perfidie de son collègue ? Avait-il deviné l'ampleur du drame causé par une jalousie si ordinaire ?

– Quand Messand est rentré, il était aux cent coups, vous l'imaginez. Il m'en a voulu au-delà de toute expression. J'ai tenté de le calmer en lui donnant l'assurance qu'Abril ne tarderait sans doute pas à reprendre contact avec lui. Ce que je croyais, au demeurant. Mais il était inconsolable. Et il me soupçonnait, bien entendu, de lui avoir joué un mauvais tour.

Dans la pénombre grandissante, Mazières était maintenant presque invisible. Turpin, qui ne discernait plus que des volutes de fumée, éprouva la sensation d'être placé face à une version pauvre et dégradée de la Pythie. Il frissonna.

– Je pensais que les choses finiraient par se tasser. Et puis, vers la fin janvier, quelques jours avant de rentrer en France, j'ai ouvert le *Mercurio* et je suis tombé sur une photo pleine page de Castillo, en uniforme de lieutenant des carabiniers. Pinochet lui remettait une décoration pour je ne sais quel fait d'armes, le démantèlement d'un réseau de militants communistes ou quelque chose dans le genre. J'ai cru que j'allais avoir une crise cardiaque. C'est là que j'ai compris qu'il m'avait joué.

– Mais vous n'avez rien dit.

– Non, je n'ai rien dit. J'étais atterré. Et puis j'ai pensé qu'il valait mieux que je me taise. Pas seulement dans mon propre intérêt. On ne pouvait plus rien faire pour elle. Et il était préférable que Pierre la croie libre, en exil quelque part. J'ai regagné Paris le cœur lourd, avec le sentiment d'avoir commis une faute irréparable. Messand est rentré à son tour, six mois plus tard. Il restait inconsolable et nous nous évitions. Au cours des trois années suivantes, il n'a eu de cesse de la rechercher. En vain, bien sûr. J'étais le seul à savoir. Puis il est parti en Iran et a rencontré Farvardine.

– Vous saviez que Farvardine est aussi un prénom qui évoque le printemps ?

– Je l'ai su plus tard. Avouez que c'est un peu guimauve, cette histoire de prénoms presque identiques. Mais j'étais heureux pour Pierre, heureux de le voir se reconstruire. Je me suis dit à l'époque qu'il finirait bien par oublier Abril. Moi-même, je commençais à l'oublier. Cette histoire me faisait moins mal.

Le visage de Mazières émergea soudain du nuage de fumée et Turpin ne put réprimer un sursaut.

– Et puis, un jour, Castillo a refait surface. Presque vingt années s'étaient écoulées, imaginez-vous. C'était en mai 1992. J'étais conseiller diplomatique du président. Il s'est pointé, comme une fleur, à mon bureau rue de l'Élysée. C'est là qu'il m'a appris qu'il avait passé dix ans dans la Légion, et qu'il était devenu français. Dans son régiment à Calvi, il s'était spécialisé dans les transmissions. J'ignore comment il s'était débrouillé pour conserver son identité déclarée en quittant la Légion. Mauricio Castillo s'appelait désormais Maurice Lechâtel. Et il m'a fait chanter. L'année précédente, le rapport sur les détenus disparus avait été publié à Santiago. Ça commençait à chauffer, là-bas, pour les anciens tortionnaires comme Castillo. Pinochet n'était plus au pouvoir pour les protéger. Il était sans emploi, et il était donc hors de question pour lui de regagner le Chili. Il a menacé de rendre publique la part que j'avais personnellement prise dans l'arrestation d'Abril Lloyd, en janvier 1974. Je n'avais pas le choix. J'ai fait ce qu'il me demandait. Une intervention pour qu'il intègre le corps des chiffreurs du ministère.

Mazières recula et disparut à nouveau derrière son nuage.

– Vous n'imaginez pas ce que j'ai vécu depuis onze ans. Un vrai cauchemar. Ce type me collait aux basques comme ma mauvaise conscience. J'ai dû l'embarquer à Moscou avec moi. Faire de lui mon chiffreur attitré à Paris. J'en suis venu à croire qu'il incarnait mon châtiment ; que je n'en finirais jamais de payer pour ce que j'avais fait, jadis, à Santiago… Même si, pendant toutes ces années, j'ai tenté de me racheter en favorisant la carrière de Messand chaque fois que je le pouvais. En 1995, j'ai ainsi œuvré pour qu'il obtienne Téhéran. Encore en 2000. Je vous ai déjà raconté que sa nomination au poste de directeur politique n'allait pas de soi.

Le secrétaire général n'enjolivait-il pas son rôle ? C'étaient là des assertions difficiles à vérifier.

– J'ignorais totalement, continua Mazières, que Messand avait relancé les recherches pour retrouver Abril. J'étais persuadé qu'il avait tourné la page. Je l'enviais presque, encore une fois. En définitive, c'était moi qui vivais, au jour le jour, avec le souvenir de cette vilaine histoire, avec ce monstre de Castillo caché dans mon armoire. Quoi qu'il en soit, Messand devait toujours me soupçonner, car il s'est rendu en douce au Chili en août dernier. Il a fait en sorte que personne ne sache où il allait. Mais à son retour, il était dans tous ses états. Abril était non seulement vivante, mais elle lui avait raconté les conditions dans lesquelles elle s'était retrouvée dans les griffes de Castillo. La vérité, enfouie depuis trente ans, éclatait enfin. Il m'a menacé. Il voulait tout révéler.

– C'est à ce moment-là que Lechâtel est de nouveau entré en scène, j'imagine ?

– Absolument. Il a estimé que nous ne pouvions prendre aucun risque. Il a décidé de le supprimer. Mais il voulait donner au meurtre de Messand des contours qui ne ramèneraient pas les enquêteurs vers le Chili.

– Comme c'est joliment dit ! J'imagine que c'est vous qui lui avez soufflé tous les détails pour que la mise à mort de Messand ressemble à un forfait commis par les Iraniens, non ? L'égorgement, le vol de la montre, c'était vous, n'est-ce pas ?

– Calmez-vous Turpin, fit Mazières d'une voix lasse. Je vous rappelle que Castillo était un tueur professionnel. Un spécialiste des disparitions forcées, des meurtres maquillés. Un vrai prestidigitateur, dans son macabre domaine. Vous n'êtes pas tenu de me croire, mais j'ai essayé de l'arrêter. Sa détermination à tuer Messand m'effarait. Mais il m'a encore menacé. Il jurait ses grands dieux qu'il nous tuerait tous les deux si je ne le laissais pas faire.

– J'ai eu, au moins deux fois, la sensation d'être suivi. Y compris ici, dans le ministère. Vous pensez qu'il me surveillait ? Vous lui en aviez donné l'ordre ?

– Mon pauvre Turpin. Vous n'y êtes pas du tout. C'est lui qui donnait des ordres, pas moi. Il ne m'a jamais dit s'il vous surveillait. Mais je ne serais pas étonné qu'il l'ait fait. C'était bien dans son genre.

Depuis combien de temps étaient-ils seuls dans le grand bureau du troisième étage ? Des heures ? Des années ? Turpin suffoquait. Mazières venait d'attaquer sa quatrième cigarette.

– Messand ne s'est pas méfié quand Lechâtel s'est pointé chez lui au soir du 29 août. Il l'avait déjà croisé dans mon bureau, le connaissait de vue. Et puis, il arrive parfois que les chiffreurs du ministère apportent aux directeurs, à leur domicile, des collections de télégrammes urgents.

– Messand lui a donc ouvert sa porte sans se poser de questions… Et le vol du manuscrit ? C'était votre idée, n'est-ce pas ? Il n'y avait guère que vous à l'avoir lu.

Mazières émit un petit rire sourd et lugubre, presque un halètement.

– Oui, ça, c'était mon idée. J'avais le souvenir diffus de textes qui évoquaient surtout l'Iran…

Turpin sentait la nausée l'envahir. Avait-il été le seul à découvrir le double fond du manuscrit laissé par Messand ? Mazières avait-il seulement lu le poème où Farvardine dissimulait Abril ?

– Et vous avez donc délibérément orienté l'enquête vers la piste iranienne. Parce que vous saviez pertinemment qu'elle risquait ainsi de ne jamais aboutir.

– Vous le savez aussi bien que moi, René. Dans la plupart des cas de meurtre attribués à la République islamique, on n'a jamais rien pu prouver. Castillo et moi-même espérions que l'enquête se perdrait dans les sables… Mais c'était sans compter sur ce que les Iraniens vous ont révélé.

– Vous avez dû paniquer quand la piste chilienne s'est manifestée.

– Au début, oui. Puis vous m'avez appris que la DST n'était pas au courant de votre contact avec Navarro. J'ai alors pensé qu'il nous restait un coup à jouer. Mais Alvarez s'est finalement montré plus malin.

Turpin, qui luttait de plus en plus faiblement contre son haut-le-cœur, sentit à nouveau la colère monter en lui.

– Et ça ne vous a pas gêné de m'envoyer au Chili en la compagnie d'un tueur…

– Castillo m'avait promis qu'il ne vous ferait pas de mal. L'idée n'était pas celle-là. Vous étiez censé le conduire jusqu'à Navarro. Et celui-ci, à son tour, jusqu'à Abril. Votre rôle s'arrêtait là. Mais les choses ont tourné différemment. Et c'est tant mieux.

L'interphone sonna. Mazières actionna le haut-parleur.

– Vous devez partir dans vingt minutes, monsieur. Le dîner d'État à l'Élysée, pour l'empereur du Japon. N'oubliez pas. C'est en smoking. Votre voiture vous attend dans la cour.

Le secrétaire général se leva, traversa la pièce à grandes enjambées et s'enferma dans une salle de bains attenante. Turpin prit sur lui d'allumer une petite lampe sur le coin du bureau. Il ne supportait plus l'atmosphère de tombeau qui régnait autour de lui. Au bout de cinq minutes, Mazières revint déguisé en pingouin.

– Vous vous rendez compte que vous vous êtes rendu coupable de complicité de meurtre et d'entrave à l'exercice de la justice ? La suite ne me regarde pas, certes. Mais vous n'ignorez pas qu'Alvarez rentre à Paris demain matin. Si j'étais vous, monsieur le secrétaire général, je profiterais pleinement du dîner de ce soir.

Mazières s'était arrêté devant la glace posée sur la cheminée et ajustait son nœud papillon.

– Quel naïf vous faites, mon pauvre Turpin. Vous n'avez pas encore compris ? L'enquête est close. Le meurtrier de Messand a été identifié, et il est mort. Que voulez-vous de plus ? J'ai parlé ce matin au patron de la DST. Il est très satisfait. Ses gens vont immanquablement conclure à une ancienne et sombre affaire entre Castillo et Messand, une histoire vieille de trente ans. Ils savent maintenant que Lechâtel était un monstre échappé des égouts de la dictature chilienne. Ça leur suffit plus qu'amplement.

Mazières revint s'asseoir derrière son bureau. Il alluma une nouvelle cigarette.

– Mais c'est vous qui l'avez fait recruter par le ministère. Que se passera-t-il quand les enquêteurs l'apprendront ?

Le secrétaire général arrondit les lèvres et se mit à souffler des ronds de fumée.

– Rien, Turpin. Il ne se passera rien. On me tiendra pour une autre victime de Castillo. Ce que j'étais, du reste. Et puis ça n'est ni la première ni la dernière fois que la République recycle une crapule.

Ses sombres pensées ramenèrent Turpin jusqu'au bungalow misérable de Puchuncaví, où la détresse d'Abril l'avait à la fois ému et frustré. Le matin même, Alvarez l'avait appelé du Chili pour lui apprendre qu'elle se remettait lentement, dans sa clinique au bord de l'océan.

– Et Abril, vous l'oubliez ?

– Abril s'est tue pendant trente ans, elle continuera de se taire.. Surtout maintenant. À ce que j'ai compris, votre petite promenade de lundi sur la côte chilienne l'a gravement traumatisée. Elle va chercher, comme par le passé, à oublier tout ça. J'en mets ma main au feu. Quant à moi, mon cher Turpin… C'est une nouvelle vie qui commence ! Me voilà débarrassé de Castillo.

Le sortilège est rompu. Le vilain crapaud que j'étais va redevenir un prince charmant.

Pour ça, il y a encore du boulot, se dit Turpin en contemplant son interlocuteur qui, même revêtu d'une tenue de gala, gardait sa mine grise et fripée.

– Vous n'éprouvez aucun remords ?

– Que voulez-vous que je vous dise, René ? Bien sûr, j'aurais aimé que les choses se passent autrement. Mais au fond, si on y réfléchit, c'est Messand lui-même qui s'est attiré tous ces ennuis. En s'éprenant d'Abril. En se lançant de nouveau à sa recherche trente ans plus tard. Et puis, remords ou pas, on n'y peut plus rien du tout. Toute cette histoire est maintenant derrière nous.

Mazières se leva et enfila son pardessus. Il fit mine de raccompagner Turpin vers la sortie.

– Je dois filer, René. Mais repassez-me voir demain ou après-demain. Je suis très content de vous. Vous l'ai-je dit ? Il faut qu'on parle, tous les deux. De votre prochain poste. Vous me direz où vous avez envie d'aller. Je veillerai à ce que vos vœux soient pris en compte, je vous le promets.

Le secrétaire général disparut dans les escaliers. Turpin s'immobilisa devant les ascenseurs. Puis il piqua un sprint à travers le long couloir du troisième étage et parvint aux toilettes juste à temps pour vomir.

*

Il descendit au sous-sol dans l'idée d'avaler un café bien serré. Mais arrivé à proximité des machines automatiques, il aperçut Jean-Baptiste en pleine conversation avec un grand jeune homme brun. Les deux garçons, qui riaient sous cape avec complicité, ne le virent pas.

Il fit demi-tour en levant les yeux au ciel et remonta au deuxième étage.

Rentré dans son bureau, il ouvrit grand la fenêtre et laissa la fraîcheur du soir investir la pièce. Un message d'alerte clignotait sur son écran. Il cliqua et fit apparaître la page de l'intranet.

> Par arrêté du Premier ministre et du ministre des Affaires étrangères, M. Jean-Louis Buren, conseiller des Affaires étrangères hors classe, est nommé directeur général des Affaires politiques et de sécurité, à compter du 1er octobre 2003.

Un nouvel accès de nausée lui contracta l'estomac. Il éteignit son ordinateur et promena un regard las sur la pièce qu'il partageait depuis un mois avec son jeune collègue. C'est alors qu'il avisa, sur le bureau de Jean-Baptiste, un exemplaire des *Scènes de la vie diplomatique*, manifestement corné à toutes les pages. Tiens donc… se dit-il alors qu'une lueur de satisfaction brillait dans son regard. Il semblerait qu'on fasse cas des recommandations du vieux Turpin.

Jean-Baptiste regagna le bureau à son tour et s'assit en face de Turpin.

– Alors ! Vous vous êtes mis à lire Durrell…

– Oui, et j'aime beaucoup. En particulier la scène où Antrobus décrit, à Belgrade, cette réception donnée par le gouvernement yougoslave pour le corps diplomatique sur une espèce de barge… Laquelle perd ses amarres et se met à dériver sur le Danube en emportant dans le courant toutes ces excellences. Vous aviez raison, c'est très drôle.

Turpin sourit en se souvenant de la scène. Était-ce une métaphore de son métier ? Il s'aperçut que Bruxel le fixait maintenant intensément.

– Alors, René, risqua le jeune homme. C'était donc Mazières qui était derrière toute cette affaire, n'est-ce pas ?

Turpin lui raconta ce qu'il venait d'apprendre dans le bureau du secrétaire général. Jean-Baptiste hochait la tête d'un air accablé, sans l'interrompre. Il resta un moment silencieux quand son collègue eut fini. Puis il reprit la parole, la mine embarrassée.

– Je dois vous dire. J'ai déjà raconté tout ce que je savais à la personne qui m'a aidé. Vous savez, ce contact à l'Inspection générale qui m'a fourni les dossiers personnels de Lechâtel et Mazières...

– S'agit-il du joli garçon avec lequel vous partagiez tantôt un café ?

Le visage de Jean-Baptiste s'empourpra jusqu'à la racine de ses cheveux. Il cligna plusieurs fois des yeux avant de poursuivre en baissant la voix.

– Écoutez. Il est effaré par ce que je lui ai raconté, et prêt à en saisir l'inspecteur général pour amener celui-ci à diligenter une enquête administrative. Bien sûr, ce serait moins dangereux pour Mazières qu'une enquête pénale. Mais ça devrait marcher. L'inspecteur déteste le secrétaire général, car il considère qu'il lui a piqué sa place à Moscou en 1995.

Turpin le regarda en plissant les yeux. Un léger sourire se dessina sur ses lèvres.

– Vous êtes certain d'exercer un tel pouvoir sur ce jeune homme ?

Jean-Baptiste rougit à nouveau.

– Oui, je crois... Si vous m'y autorisez, René, je pourrais faire en sorte que l'enquête se concentre sur les conditions dans lesquelles Lechâtel a été recruté comme chiffreur il y a onze ans.

Le diplomate en herbe le fixait toujours avec un air d'expectative. Turpin tourna la tête vers la fenêtre ouverte et contempla les toits de zinc du bâtiment du Chiffre, de l'autre côté de la cour. Sa nausée avait disparu et il éclata de rire.

– Pourquoi pas, Jean-Baptiste, pourquoi pas ?

Il attrapa sa veste et quitta le bureau. En sortant du ministère, il décida d'aller voir sa mère. Il lui devait bien cela. Il traversa l'avenue et se posta devant l'arrêt du bus 93. La nuit s'annonçait froide et venteuse. Étrangement, les rafales déferlant sur la Seine charriaient une odeur d'algues qui lui rappela sa marche forcée vers les falaises de Puchuncaví. Cela semblait déjà si loin.

Remerciements

À mes tout premiers lecteurs, Françoise et Jean-Yves Lavoir, Michèle Laruë-Charlus, Nathalie Loiseau qui, découvrant ce roman au fur et à mesure que je l'écrivais, m'encourageaient en me pressant de poursuivre ; à mes chers parents, Yvette et Jacques, qui l'ont lu et relu avec fièvre en me faisant profiter de leur culture et de leur sagacité ; à tous ceux qui, une fois ce travail presque achevé, ont bien voulu formuler remarques et appréciations, ma sœur Sylvie, Gérard Araud, Judith Fondanèche, Lusine et Antoine Bardon, François Bourguignon ; à Tobias Dyreborg Stampesøe, qui a partagé à Tbilissi ma solitude toute neuve d'écrivain, et que j'expulsais chaque matin du canapé-lit de mon bureau pour me rasseoir devant mon clavier ; à Olivier Rolin, qui a voulu croire en ce texte ; à mon éditrice, Gwenaëlle Denoyers, qui m'a guidé avec patience et perspicacité dans son amélioration.

RÉALISATION : NORD COMPO À VILLENEUVE-D'ASCQ
IMPRESSION : CPI FRANCE
DÉPÔT LÉGAL : MAI 2019. N° 140985 (3033365)
IMPRIMÉ EN FRANCE

Éditions Points

DERNIERS TITRES PARUS

P4903. La Fille à histoires, *Irène Frain*
P4905. Questions de caractère, *Tom Hanks*
P4906. L'Histoire de mes dents, *Valeria Luiselli*
P4907. Le Dernier des yakuzas, *Jake Adelstein*
P4909. Dylan par Dylan. Interviews 1962-2004 *Bob Dylan*
P4910. L'Échappé belge. Chroniques et brèves *Alex Vizorek*
P4911. La Princesse-Maïs, *Joyce Carol Oates*
P4912. Poèmes choisis, *Renée Vivien*
P4913. D'où vient cette pipelette en bikini qui marivaude dans le jacuzzi avec un gringalet en bermuda ? Dico des mots aux origines amusantes, insolites ou méconnues, *Daniel Lacotte*
P4914. La Pensée du jour, *Pierre Desproges*
P4915. En radeau sur l'Orénoque, *Jules Crevaux*
P4904. Leçons de grec, *Han Kang*
P4908. Des jours d'une stupéfiante clarté, *Aharon Appelfeld*
P4916. Celui qui va vers elle ne revient pas, *Shulem Deen*
P4917. Un fantôme américain, *Hannah Nordhaus*
P4918. Les Chemins de la haine, *Eva Dolan*
P4919. Gaspard, entre terre et ciel *Marie-Axelle et Benoît Clermont*
P4920. Kintsukuroi. L'art de guérir les blessures émotionnelles *Tomás Navarro*
P4921. Le Parfum de l'hellébore, *Cathy Bonidan*
P4922. Bad Feminist, *Roxane Gay*
P4923. Une ville à cœur ouvert, *Żanna Słoniowska*
P4924. La Dent du serpent, *Craig Johnson*
P4925. Quelque part entre le bien et le mal, *Christophe Molmy*
P4926. Quatre lettres d'amour, *Niall Williams*
P4927. Madone, *Bertrand Visage*

P4928. L'étoile du chien qui attend son repas, *Hwang Sok-Yong*
P4929. Minerai noir. Anthologie personnelle et autres recueils *René Depestre*
P4930. Les Buveurs de lumière, *Jenni Fagan*
P4931. Nicotine, *Gregor Hens*
P4932. Et vous avez eu beau temps ? La perfidie ordinaire des petites phrases, *Philippe Delerm*
P4933. 10 règles de français pour faire 99 % de fautes en moins *Jean-Joseph Julaud*
P4934. Au bonheur des fautes. Confessions d'une dompteuse de mots, *Muriel Gilbert*
P4935. Falaise des fous, *Patrick Grainville*
P4936. Dernières nouvelles du futur, *Patrice Franceschi*
P4937. Nátt, *Ragnar Jónasson*
P4938. Kong, *Michel Le Bris*
P4939. La belle n'a pas sommeil, *Éric Holder*
P4940. Chien blanc et balançoire, *Mo Yan*
P4941. Encore heureux, *Yves Pagès*
P4942. Offshore, *Petros Markaris*
P4943. Le Dernier Hyver, *Fabrice Papillon*
P4944. « Les excuses de l'institution judiciaire » : l'affaire d'Outreau, 2004. *Suivi de* « Je désire la mort » : l'affaire Buffet-Bontems, 1972, *Emmanuel Pierrat*
P4945. « On veut ma tête, j'aimerais en avoir plusieurs à vous offrir » : l'affaire Landru, 1921. *Suivi de* « Nous voulons des preuves » : l'affaire Dominici, 1954, *Emmanuel Pierrat*
P4946. « Totalement amoral » : l'affaire du Dr Petiot, 1946. *Suivi de* « Vive la France, quand même ! » : l'affaire Brasillach, 1946, *Emmanuel Pierrat*
P4947. Grégory. Le récit complet de l'affaire *Patricia Tourancheau*
P4948. Génération(s) éperdue(s), *Yves Simon*
P4949. Les Sept Secrets du temps, *Jean-Marc Bastière*
P4950. Les Pierres sauvages, *Fernand Pouillon*
P4951. Lettres à Nour, *Rachid Benzine*
P4952. Niels, *Alexis Ragougneau*
P4953. Phénomènes naturels, *Jonathan Franzen*
P4954. Le Chagrin d'aimer, *Geneviève Brisac*
P4955. Douces déroutes, *Yanick Lahens*
P4956. Massif central, *Christian Oster*
P4957. L'Héritage des espions, *John le Carré*
P4958. La Griffe du chat, *Sophie Chabanel*
P4959. Les Ombres de Montelupo, *Valerio Varesi*
P4960. Le Collectionneur d'herbe, *Francisco José Viegas*
P4961. La Sirène qui fume, *Benjamin Dierstein*

P4962. La Promesse, *Tony Cavanaugh*
P4963. Tuez-les tous... mais pas ici, *Pierre Pouchairet*
P4964. Judas, *Astrid Holleeder*
P4965. Bleu de Prusse, *Philip Kerr*
P4966. Les Planificateurs, *Kim Un-Su*
P4967. Le Filet, *Lilja Sigurdardóttir*
P4968. Le Tueur au miroir, *Fabio M. Mitchelli*
P4969. Tout le monde aime Bruce Willis, *Dominique Maisons*
P4970. La Valeur de l'information. *Suivi de* Combat pour une presse libre, *Edwy Plenel*
P4971. Tristan, *Clarence Boulay*
P4972. Treize jours, *Roxane Gay*
P4973. Mémoires d'un vieux con, *Roland Topor*
P4974. L'Étang, *Claire-Louise Bennett*
P4975. Mémoires au soleil, *Azouz Begag*
P4976. Écrit à la main, *Michael Ondaatje*
P4977. Journal intime d'un touriste du bonheur *Jonathan Lehmann*
P4978. Qaanaaq, *Mo Malø*
P4979. Faire des pauses pour se (re)trouver, *Anne Ducrocq*
P4980. Guérir de sa famille par la psychogénéalogie *Michèle Bromet-Camou*
P4981. Dans le désordre, *Marion Brunet*
P4982. Meurtres à Pooklyn, *Mod Dunn*
P4983. Iboga, *Christian Blanchard*
P4984. Paysage perdu, *Joyce Carol Oates*
P4985. Amours mortelles. Quatre histoires où l'amour tourne mal, *Joyce Carol Oates*
P4986. J'ai vu une fleur sauvage. L'herbier de Malicorne *Hubert Reeves*
P4987. La Course de la mouette, *Barbara Halary-Lafond*
P4988. Poèmes et antipoèmes, *Nicanor Parra*
P4989. Herland, *Charlotte Perkins Gilman*
P4990. Dans l'épaisseur de la chair, *Jean-Marie Blas de Roblès*
P4991. Ouvre les yeux, *Matteo Righetto*
P4992. Dans les pas d'Alexandra David-Néel. Du Tibet au Yunnan, *Éric Faye, Christian Garcin*
P4993. Lala Pipo, *Hideo Okuda*
P4994. Mes prolongations, *Bixente Lizarazu*
P4995. Moi, serial killer. Les terrifiantes confessions de 12 tueurs en série, *Stéphane Bourgoin*
P4996. Les Sorcières de la République, *Chloé Delaume*
P4997. Les Chutes, *Joyce Carol Oates*
P4998. Petite Sœur mon amour, *Joyce Carol Oates*
P4999. La douleur porte un costume de plumes, *Max Porter*

P5000. L'Expédition de l'espoir, *Javier Moro*
P5001. Séquoias, *Michel Moutot*
P5002. Indu Boy, *Catherine Clément*
P5003. Virgin Suicides, *Jeffrey Eugenides*
P5004. Petits vieux d'Helsinki mènent l'enquête *Minna Lindgren*
P5005. L'argent ne fait pas le bonheur mais les luwak si *Pierre Derbré*
P5006. En camping-car, *Ivan Jablonka*
P5007. Beau Ravage, *Christopher Bollen*
P5008. Ariane, *Myriam Leroy*
P5009. Est-ce ainsi que les hommes jugent ? *Mathieu Menegaux*
P5010. Défense de nourrir les vieux, *Adam Biles*
P5011. Une famille très française, *Maëlle Guillaud*
P5012. Le Hibou dans tous ses états, *David Sedaris*
P5013. Mon autre famille : mémoires, *Armistead Maupin*
P5014. Graffiti Palace, *A. G. Lombardo*
P5015. Les Monstres de Templeton, *Lauren Groff*
P5016. Falco, *Arturo Pérez-Reverte*
P5017. Des nuages plein la tête. Un pâtre en quête d'absolu *Brice Delsouiller*
P5018. La Danse du chagrin, *Bernie Bonvoisin*
P5019. Peur, *Bob Woodward*
P5020. Secrets de flic. Guerre des polices, stups et mafia, l'ex-patron de la PJ raconte, *Bernard Petit*
P5021. Little Bird, *Craig Johnson*
P5022. Tatouage. La première enquête de Pepe Carvalho *Manuel Vasquez Montalban*
P5023. Passage des ombres, *Arnaldur Indridason*
P5024. Les Saisons inversées, *Renaud S. Lyautey*
P5025. Dernier Été pour Lisa, *Valentin Musso*
P5026. Le Jeu de la défense, *André Buffard*
P5027. Esclaves de la haute couture, *Thomas H. Cook*
P5028. Crimes de sang-froid, *Collectif*
P5029. Missing : Germany, *Don Winslow*
P5030. Killeuse, *Jonathan Kellerman*
P5031. #HELP, *Sinéad Crowley*
P5032. L'humour au féminin en 700 citations *Macha Méril & Christian Poncelet*
P5033. Baroque Sarabande, *Christian Taubira*
P5034. Moins d'ego, plus de joie !. Un chemin pour se libérer *Christopher Massin*
P5035. Le Monde selon Barney, *Mordecai Richler*
P5036. Portrait de groupe avec dame, *Heinrich Böll*